Tom Wittgen Das Nest

Tom Wittgen

Das Nest

Kriminalroman

Bild und Heimat

ISBN 978-3-95958-105-9
1. Auflage dieser Sonderausgabe

Umschlaggestaltung: fuxbux, Berlin
Umschlagabbildung: © iStock Photos
Druck und Bindung: GGP Media GmbH, Pößneck

1

»Sag mal, Mädel, was willst'n mit meinem alten Fahrtenmesser?«

»Darf ich's nicht haben?«

Janina Wöhler stellte das Frühstücksgeschirr in die Spüle, spritzte Fit darüber und drehte den Warmwasserhahn auf. Seit Hermann Wöhler die Küche mit Eichenholz getäfelt und eine rustikale Sitzecke eingebaut hatte, nahm er mit seiner Tochter die Morgen- und Abendmahlzeit in der Küche ein.

»Klar, darfst du's haben.«

Das Messer lag auf einem Jeansbeutel mit breitem Trageriemen.

»Da hängen eine Menge Erinnerungen dran.«

»Ich verlier's schon nicht«, sagte Janina vom Spültisch her. »Es gibt einem nur so ein beruhigendes Gefühl.«

Wöhler drehte die Radiomusik leise und sagte: »Hör mal.«

Aufs Vordach trommelten Regentropfen.

»Das ist doch nichts Neues.«

Janina steckte das Messer in den Beutel, legte ein Schnittenpaket und einen Apfel dazu und warf sich den Beutel über die Schulter. Im Hausflur zog sie Stiefel an.

»Lass dein Rad im Schuppen bei dem Sauwetter.« Wöhler kam ihr in den Flur nach. »Ich organisiere eine Fahrt nach Markhausen. Und abends sorge ich dafür, dass die LPG was aus Wüstenstein zu holen hat. Da kannst du vom Bus aus wieder zusteigen.«

»Wegen mir brauchst du keinen fahrbaren Untersatz loszueisen.«

»Was heißt denn loseisen! Bin ich der Einsatzleiter oder nicht?«
»Bist du, Papa. Aber das bisschen Radfahren vor und nach der Arbeit brauch ich schon, sonst werd ich steifbeinig.« Mit durchgedrückten Knien stelzte sie im Flur hin und her, bis Wöhler schmunzelte. »Und Regen mag ich. Außerdem hast du mir einen wetterfesten Umhang organisiert. Also sei nicht vergnatzt.«
Sie küsste Wöhler auf die Wange, und er drückte sie einen Augenblick lang an sich. Im Hinausgehen stülpte sie sich eine dunkelgrüne Pudelmütze über und schlang einen gleichfarbigen Schal um den Hals.
Durch das Küchenfenster sah Hermann Wöhler seine Tochter den Gartenweg entlangradeln. Nötig hat sie das nicht, dachte er, aber wenn es ihr Spaß macht … Er zuckte die Schultern wie jemand, der sich in Unvermeidliches schickt, und zog die rotweiße Gardine wieder vors Fenster. Laut Radio war es sechs Uhr dreißig. Wöhler setzte sich auf die Bauernbank mit den roten Schaumgummikissen.
Da hab ich noch Zeit. Kann noch ein paar Minuten lang meine Küche genießen. Schön bist du geworden. Hast auch eine Menge gekostet; Geld, Nerven, Beziehungen. Vor allem die. Schönes Gefühl zu wissen, man hat was geleistet. Und das hab ich, verdammich noch mal! Der Teppich, den sie vorige Woche rangefahren haben – das Mädel zieht keine Hausschuhe mehr an. Wuschelt am liebsten mit nackten Füßen drin ’rum! Überhaupt die ganze Einrichtung, da fehlt nichts. Mehr hat ein Großkopfiger auch nicht aufzuweisen. Ich, Hermann Wöhler, den die Weiber beinahe auf den Hund gebracht hätten, bin jetzt ein glücklicher Mensch. Von vielen beneidet. Nicht, dass mich der Neid freuen würde, aber stören tut er mich auch nicht.

Und die Grammelein, die könnt an alldem teilhaben. Braucht nur mit mir an einem Strang zu ziehen. Aber nein, die krankt am Gerechtigkeitstick. Gönnt unsereinem nicht mal eine Kaffeemaschine. Stellt die drei zugeteilten einfach ins Regal. Jeder Gernegroß kann kommen und sie kaufen. Nein, mit der wäre ich auf keinem grünen Zweig geblieben. Zum Glück mag das Mädel sie auch nicht. Irgendwas ist zwischen den beiden vorgefallen. Keine Ahnung, was es sein könnte. Janina spricht nicht darüber. Aber die Grammelein hat's bei ihr verschissen. Und das soll mir recht sein.
So, nun wollen wir mal. Der Regen lässt nach. Gott sei Dank. In Krummbach brauchen sie Strohballen. Bis zum Mittag. Hoffentlich hat der Lukas nicht spitzgekriegt, dass heut ein LKW nach Krummbach fährt. Womöglich versucht der wieder, mir seine Mutter als Fahrgast unterzujubeln. Was hätt ich denn davon, wegen dem was Verbotenes zu tun? Und wer wann mit wem wohin fährt, bestimme immer noch ich. Außerdem habe ich Typen wie Lukas längst hinter mir. – Oder könnte der … Quatsch. So einer kann mich nicht ankratzen. Der würde sich bloß selber in die Nesseln setzen.

In Wüstenstein schloss Otto Albrecht, der ABV, die Haustür ab und zog den Kragen seines wetterfesten Mantels hoch. Mürrisch stapfte er durch den Vorgarten, patschte in Wasserbäche, die sich durch den nicht asphaltierten Teil der Straße zogen, und versank mit blankgeputzten Stiefeln knöcheltief im Schlamm. Der Regen hing als grauer Schleier über dem Ort, hüllte Häuser, Bäume und Wegweiser ein, wehte durch die Straßen und verwehrte die Sicht von einer Straßenseite zur anderen.

Der ABV stiefelte seine Runde. Missmutig stellte er fest, dass das Bauernmuseum, vor Wochen frisch gestrichen, heute nicht einladender aussah als der Schandfleck von Wüstenstein, Schuhmacher Reinolds verfallender Schuppen. Selbst die Purpurtanne neben dem Gemeindehaus mit ihrer schönen kegelförmigen Krone, von Kennern als Seltenheit bestaunt, war an jenem Morgen zu Albrechts Kummer nur nässetriefendes Gestrüpp.
Um sieben Uhr langte der ABV an der Bushaltestelle vor der »Bärenschänke« an. Von hier fuhr der Bus nach Markhausen. Die Wüstensteiner, die dort arbeiteten, stiegen zu und Einwohner benachbarter Dörfer. Sie kamen per Rad, Moped oder Motorrad, stellten ihr Gefährt gegen ein geringes monatliches Entgelt in der Garage der »Bärenschänke« unter und ließen sich mit dem Bus weiterbefördern.
Der ABV kannte sie alle. Jeden Morgen fand er sich vor der Haltestelle ein, nahm die Gelegenheit wahr, diesen und jenen an Schneefegen, Streupflicht oder Zaunausbessern zu erinnern, fragte nach Lagergenehmigungen für Baumaterialien, die er vor einem Grundstück entdeckt hatte. Aber er gab auch gewünschte Auskünfte und notierte Anliegen. Diese Freiluft-Sprechstunde dauerte zwischen zehn und fünfzehn Minuten. In Ausnahmefällen auch länger. In jedem Fall richtete sie sich danach, wann der Bus eintraf.
An jenem Morgen fürchteten alle, die unter dem Haus- und Garagendach der »Bärenschänke« vor dem Regen Zuflucht suchten, der Bus käme überhaupt nicht. Es war bereits sieben Uhr vierzig. Mit dem ABV war längst besprochen, was zu besprechen war. Da fragte jemand: »Otto, kannste nicht das Wetter verbieten?«
Sie lachten. Außer Otto Albrecht. Ihm stand der Verdruss

über seine Ohnmacht im Gesicht. Er wandte sich ab und betrat die »Bärenschänke«.

»Willste Tee?«, fragte der Wirt, der in der leeren Gaststube stand.

Albrecht nickte.

»'n Frühstück ist auch noch zu haben.«

»Kann ich mir denken. Wem sollstes denn auch andrehen. Aber ich frühstücke zu Hause.«

Der Wirt brachte zwei Gläser Tee, nahm Platz und wärmte die Hände an seinem Glas.

»Hast recht. Die Gäste sagen ab. Wenn's so weitersaut, mach ich 'n Miesen diesen Winter.«

Albrecht zeigte wenig Interesse für die Sorgen des Wirtes. Er starrte zum Fenster, gegen das der Regen schlug, als gäbe es dahinter wer weiß was zu entdecken. Schließlich sagte er: »Die Janina fehlt.«

»'s Mädel vom Wöhler?«

Albrechts Blick machte ihm die Überflüssigkeit seiner Frage klar. Es gab in weitem Umkreis nur ein Mädchen, das Janina hieß.

»Wird zur Petra 'rüber sein.«

Petra war Janinas Freundin und Kellnerin in der »Bärenschänke«.

»Ihr Fahrrad fehlt in der Garage. Gestern war Disko bei dir. War Janina da?«

»Nicht, dass ich wüsste.«

»Hast du was gehört, ob sie krank ist oder heute freinehmen wollte?«

»Nichts hab ich gehört.«

Der Wirt nahm sein Teeglas und ging zum Tresen. Er wurde abweisend, wenn Albrecht »den Polizisten hervorkehrte« und sich um Dinge kümmerte, die ihn nichts angingen. Er war sicher, in Wüstenstein und Umgebung kroch mancher nur deshalb aus den Federn und ging zum Frühbus, weil sonst der flinke Albrecht bei ihm auftauchen und sorgenvoll nach dem Rechten sehen würde.

Mit Hantierungen, die nicht vonnöten waren, rechtfertigte der Wirt seinen Rückzug zum Tresen und warf ab und zu einen Blick auf Otto Albrecht. Der sah aus, als sorge er sich wahrhaftig um die kleine Wöhler. Irgendwie konnte man diesem schmächtigen Kerlchen mit den Luchsaugen nicht böse sein, fand der Wirt.

»Das muss ja nichts bedeuten«, sagte er versöhnlich, »vielleicht hat ihr Vater sie nach Markhausen gebracht.«

»So was wird's sein«, erwiderte der ABV, zahlte seinen Tee und verließ die Gaststube.

Draußen fuhr der Bus vor. Janina war nicht gekommen. Vielleicht ist sie unterwegs steckengeblieben, dachte er und marschierte los.

Zwischen Wüstenstein und dem Ortsteil Wüstenstein-Süd liegen vier Kilometer Acker, Wald und Wiese. Da sich die Fernverkehrsstraße in weitem Bogen um alles herumdrückt, was Wüstenstein heißt, mussten die Einwohner morgens und abends je vier Kilometer durch Feld und Wald radeln. Im Winter schnallten sie Skier unter. Es war Winter. Januar. Aber es regnete seit Tagen.

Otto Albrecht stapfte den aufgeweichten Feldweg entlang. Warum ließ Wöhler die Janina mit dem Rad zum Bus fahren? Für den gab es doch andere Möglichkeiten. So wie der an seiner Tochter hing und sie verwöhnte, konnte man annehmen, er würde ihr ein eigenes Auto kaufen.

Der Feldweg mündete in den Wüstensteiner Wald. Mit Stolz

erinnerte sich Albrecht daran, dass er vor zwei Jahren hier ein Versteck mit Diebesgut entdeckt hatte. Er war es gewesen, und nicht etwa der für den Wald zuständige Forstmeister. Auf Grund seiner Angaben hatte die Polizei den Motorrad- und Mopedmarder, der seine Beute im Wald lagerte, schnell ermitteln können.

Ein Gegenstand, von dem Albrecht noch zu weit entfernt war, um ihn identifizieren zu können, lag auf dem Weg und ließ den ABV vergangene Tage vergessen. Der Gegenstand erschien länglich. Ein Baumstamm also. Oder ein Mensch. Kein Mensch. Lieber Gott, es soll kein Mensch sein. Jetzt sah es wie eine Wurzel aus, die, vom Regen freigespült, sperrig den Weg blockierte. Was einem doch alles Furcht einflößt, dachte Albrecht und erkannte im selben Augenblick ein Fahrrad. Janina Wöhlers Rad.

»Janina!«

Keine Antwort. Nur der Regen troff mit leisem, dumpf klatschendem Geräusch von den Bäumen. Albrecht lief rechts vom Weg in den Wald hinein.

»Janina!«

Warum antwortete Janina nicht. Er rief wieder und wieder. War das überhaupt seine Stimme? Von dem Mädchen keine Spur. Er hastete zum Weg zurück und suchte von da aus die linke Waldseite ab. Zuerst fand er ihren wetterfesten Umhang, dann die dunkelgrüne Pudelmütze, schließlich sie selbst. Sie lag auf dem Rücken und starrte mit weit geöffneten Augen in nasse Fichtenzweige.

So lag sie noch, als Oberleutnant Simosch, Leiter der Morduntersuchungskommission, mit seinen Leuten eintraf. Auch ihre Lippen waren noch leicht geöffnet. Hatte sie ihren Mörder angefleht? Oder um Hilfe gerufen? Ihr rechter Arm war blutverkrustet, der Pullover zerfetzt von Messerstichen. Einer hatte die Halsschlagader getroffen. Das Mädchen war verblutet. Neben ihrem Kopf aber steckte ein Messer in der Erde; die Mordwaffe, wie die Kriminaltechniker später versicherten.

Als der Polizeifotograf seine Arbeit getan hatte, trat Simosch wieder an den Leichnam heran. So ein junges Leben, dachte er. Ein Kindergesicht mit blauen Augen. Sein Blick glitt über das dunkelblonde Haar und ihren Körper, der verriet, dass sie kein Kind mehr war. Ein hübsches Mädchen oder eine hübsche junge Frau. Vielleicht ist sie gar schon Mutter. Welche Tragödie mochte sich hier abgespielt haben? Eifersucht? Bestrafung für Verrat oder Untreue? Raub? Sexuelle Gier? Nach einem Sexualverbrechen sah es auf den ersten Blick nicht aus. An den schwarzen Kordhosen waren Reißverschluss und Bund geschlossen. Der pinkfarbene Pullover, von der Mordwaffe beschädigt, war zwar verrutscht, doch das konnte durch die Gegenwehr des Mädchens geschehen sein. Natürlich war ein Verbrechen aus sexuellen Motiven nicht auszuschließen.

Der Oberleutnant wandte sich an einen seiner Mitarbeiter.

»Habt ihr den Ausweis?«

»Steckte in ihrem Jeansbeutel.«

»Was war noch drin?«

»Geldtasche mit fünfunddreißig Mark achtzig, ein Fläschchen Parfüm Marke Schwarzer Samt, pinkfarbener Lippenstift, Monatskarte für den Bus nach Markhausen, Taschentuch, ein Beutel mit Schnitten und ein Apfel.«

»Kein Foto?«

»Nichts.«

Seltsam, dachte Simosch. Zumindest die Fotografie eines jungen Mannes hätte ich bei ihr vermutet. Oder ihr eigenes Abbild. Zum Verschenken zur Erinnerung an …

Er schlug den Ausweis auf, las ihren Namen, dass sie in Wüstenstein-Süd wohnte, zweiundzwanzig Jahre alt und ledig war. Ein Kind war nicht eingetragen. Auch auf dem Passbild trug sie das Haar seitlich gescheitelt. Ihre Lippen wirkten weich und schön geschwungen. Selbstbewusstsein im Blick ohne einen Anflug von Überheblichkeit. Simosch vermutete, sie habe auf Männer recht anziehend gewirkt.

»Wo ist denn der ABV?«, fragte er, »der die Leiche gefunden hat?«

»Der erzählt den Kriminaltechnikern von einem Versteck im Wald, wo vor Jahren Diebesgut lagerte. Er glaubt, der Mörder habe es als Unterschlupf benutzt.«

»Wenn er nichts mehr zu berichten weiß, soll er zu mir kommen.«

Wenig später standen sie sich gegenüber. Wachtmeister Albrecht noch blass um Nase und Mund, schaute erwartungsvoll zu dem Leiter der MUK auf.

Simosch wandte sich an seine Mitarbeiter.

»Ich schätze, hier läuft's jetzt ohne mich?«

»Sie schätzen richtig.«

»Dann bin ich die nächsten Stunden in Wüstenstein-Süd beim Vater des Mädchens zu finden. Danach vermutlich in Wüstenstein, wo es ein Gasthaus mit Pension geben soll.«

Er fragte den ABV nach der Länge der Wegstrecke.

»Wir befinden uns ziemlich genau in der Mitte beider Ortsteile, haben also zirka zwei Kilometer vor uns. Der Wald reicht dicht an Wüstenstein-Süd heran. Wenn man heraustritt, sieht man die Häuser in einer Talsenke liegen …«

»Sieh an«, sagte Simosch, »der ABV als verkappter Reiseleiter.«
Ein irritierter Blick streifte ihn.
»Ich bin Einheimischer. Kenne Land und Leute ...«
»Erzählen Sie mir von Janina und ihrem Elternhaus.«
»Wöhlers sind geschieden.«
»Seit wann?«
Der Wachtmeister überlegte.
»Das ist schon an die fünfzehn Jahre her. Janina war eben eingeschult worden. Der Hermann hat das Mädel großgezogen.«
»Sie ist ihm zugesprochen worden?« Simosch war überrascht.
»Seine Frau ist eines Tages auf und davon und hat das Mädel zurückgelassen.«
»Warum ist sie weg von Wöhler?«
»Das wissen wohl nur die beiden. Man hat sie mit einer Handtasche weggehen sehen. Der Hermann lässt kein Wort fallen über die Schmach, die sie ihm angetan hat.«
»Und was munkelte man im Dorf?«
»Was immer geklatscht wird, wenn so was passiert. Zuerst, dass sie einen anderen hätte, dann, dass der Hermann fremdgehe. Die einen sagten, er habe sie geschlagen, die anderen, sie trete ihn unter'n Pantoffel.«
»Was vermuten Sie?«
Wachtmeister Albrecht zuckte die Schultern. »Damals war ich erst fünfundzwanzig.«
»Was für ein Mensch ist Hermann Wöhler? Wie lebt er? Wie denkt er?«
»Gut lebt er, der Hermann. Vielleicht lebt in ganz Wüstenstein niemand so großkotzig wie er. Haus mit Garage, Mazda ...«
Der Oberleutnant unterbrach ihn: »Besaß auch Janina eine Fahrerlaubnis?«

»Das schon«, erwiderte Albrecht, »aber sie hat selten Gebrauch davon gemacht. Sie radelte lieber.«
»Lebt Hermann Wöhler schon lange in so großem Stil? Schon seit damals, als ihm die Frau weglief?«
»Damals hatte er nicht mehr als jeder andere. War Kraftfahrer in der LPG Frohe Zukunft und bewirtschaftete noch was Eigenes. Das tut er auch heute noch. Er hat seine Tochter großgezogen und nicht wieder geheiratet.«
»Eigenbrötler?«
»Der Hermann nicht. Der schwimmt mit'm Strom und weiß wo's lang geht. Auch bei Frauen. Damals, als ihm seine weggelaufen war, hat er's ziemlich doll getrieben. Schnaps und Weiber. Die Jugendfürsorge kam. Hat nicht mehr viel gefehlt, und sie hätten ihm die Kleine weggenommen, aber da hat er sich zusammengerissen, ist solider geworden und … nennen wir's strebsam.«
»Das alles von heute auf morgen?«
»So ziemlich. Er hatte einen Verkehrsunfall und kam ins Krankenhaus. Manche wollten wissen, es sei kein Unfall, sondern eine Schlägerei gewesen. Was soll's noch? Da ist längst Gras drüber gewachsen. Nach seiner Entlassung gab's jedenfalls keinen Grund mehr, ihm das Mädel wegzunehmen.«
»Arbeitet er noch als Kraftfahrer?«
Albrecht schüttelte den Kopf.
»Auch beruflich ist es mit ihm aufwärts gegangen. Eine Zeit lang unterstanden ihm die Traktoren und landwirtschaftlichen Maschinen der LPG, dann vertrat er den Einsatzleiter vom gesamten Fuhrpark, und nun hat er den Hut auf. Im Dorf heißt's, seit der Hermann keine Weiber mehr hat, ist er zu Auto und Wohlstand gekommen.«
»Jetzt lebt er also nur noch der Arbeit und seiner Tochter?«

Der Wachtmeister hielt den Kopf schräg, um diesen Oberleutnant aus der Hauptstadt, der nicht zwischen Weibern und Frauen zu unterscheiden wusste, einen prüfenden Blick zuzuwerfen.

»Der Hermann ist ’n Mann und zieht sich auch mal was Frauliches unter die Decke. Aber alleinstehende, anständige, solide Personen.«

»Und seine Tochter?«

»Die treibt sie dann wieder aus dem Haus.«

»Ach!«

»Nimmt man an«, fügte Albrecht schnell hinzu.

Simoschs Ausruf machte ihm bewusst, dass der Tod des Mädchens seine Worte schwerwiegender erscheinen ließen, als ihm lieb war. Der Oberleutnant hakte auch sofort ein, fragte, warum Janina die Freundinnen des Vaters vertrieb, vermutete folgenschwere Feindschaften und wollte Namen wissen.

»Ich bin davon ausgegangen«, sagte der ABV mit einem tadelnden Schrägblick, »dass wir uns hier im Wald sozusagen außerhalb des Protokolls unterhalten. Ich erzähl Ihnen, wie’s im Dorf aussieht und was man so voneinander hält, damit Sie nicht ganz im Dunkeln tappen. Aber Sie sollten kein Wort von mir auf die Goldwaage legen. Immerhin geht’s um Mord …«

»Eben«, stimmte Simosch zu, »und da wüsste ich gern, wer Grund hatte, Janina Wöhler nicht zu mögen. Also, wie war das mit den Freundinnen ihres Vaters.«

»Die erste, die längere Zeit im Hause lebte, kam anfangs mit ihrer Schwalbe aus Krummbach zu Besuch. Schwalbe wurde schließlich ihr Spitzname bei den Wüstensteinern. Der Hermann hat ihn in Schwälbchen abgewandelt. Ich bin sicher, er mochte sie wirklich. Die Verbindung hielt länger als ein Jahr. Dann setzte sie sich auf ihre Schwalbe und fuhr zurück nach Krummbach. Auf Nimmerwiedersehen. In der LPG wurde gemunkelt – ich betone: gemunkelt –, Janina habe sie vertrieben.«

»Aber warum?«

Schulterzucken. Ein achtzehnjähriges Mädchen lasse sich wohl von einer Fremden nicht gern was sagen. Vielleicht fürchtete sie, ihr Vater ließe sie zu kurz kommen, wenn er erst wieder verheiratet sei. Genaues wusste niemand. Die Wöhlers verstanden auf besonders hartnäckige und ihre Umgebung neugierig machende Art zu schweigen. Als im Laufe der Jahre weitere zwei oder drei Frauen Wöhlers Haus überraschend wieder verließen, hielt sich das Gerücht, Janina habe sie an die Luft gesetzt.

»Hat Wöhler zur Zeit eine Freundin?«

»Nein.«

»Wann ging die letzte Verbindung auseinander?«

»Vor drei oder vier Wochen ungefähr. Schon dachten alle, 's gäbe bald Hochzeit, da war plötzlich Schluss.«

»Wegen Janina?«

»Die Tochter von Wöhlers letzter Freundin hat so was verlauten lassen.« Albrecht atmete tief und sagte entschlossen: »Genosse Oberleutnant, mir gefällt das nicht ...«

»Mir auch nicht. Wie heißt die Frau?«

»Ruth Grammelein.«

Der wird nie herausfinden, wer das Mädel erstochen hat, dachte Wachtmeister Albrecht verbittert. Kommt im piekfeinen Ledermantel aus Berlin und weiß nicht, wie's hier langgeht. Verdächtigt Frauen wie Wöhlers Schwälbchen und die Grammelein. Der wird sich noch umgucken!

»Hatte Janina einen Freund?«
»Darüber weiß ich nicht viel. Es hieß, sie habe jemanden in Markhausen.«
»Wo hat sie denn dort gearbeitet?«
»Feinmechanische Werkstätten: Optik, Gerätebau. – Übrigens sind wir da.«
Sie waren aus dem Wald herausgetreten. Der ABV wies auf einen schmalen, pfützenübersäten Pfad.
»Der führt mitten ins Dorf und an Wöhlers Haus vorbei.«
Sie stiegen den Pfad hinunter. Simoschs Halbschuhe schmatzten bei jedem Schritt. Der muss noch viel lernen, wenn er hier vorwärts kommen will, dachte der Wachtmeister. Er lief zum Büro der MTS.
Simosch wartete vor Wöhlers Grundstück, das hinter einer Fichtengruppe verborgen lag. Am Zaun entlang rankte Brombeergestrüpp. Das Gartentor war verschlossen, die Nachbarhäuser weit entfernt.
Das Dutzend Anwesen, aus denen Wüstenstein-Süd bestand, war von der Dorfmitte aus, dort wo Simosch wartete, nicht zu überblicken. Weit auseinandergerückt, schienen sich die Häuser voreinander zu verstecken hinter Zäunen, Hecken, Mauern und Nadelgehölzen, je nach Geschmack der Bewohner.
Der ABV und Wöhler kamen die Dorfstraße herauf. Wöhler mit einer Zeltplane über dem Overall, da es noch immer nieselte. Er blieb vor dem Fremden stehen, den er eher missmutig als neugierig betrachtete. Schließlich murmelte er: »Tag«, machte Anstalten, das Gartentor aufzuschließen, ließ es jedoch sein und fragte: »Was'n los?«
»Lass uns rein«, erwiderte Albrecht, »eh' wir durchgeweicht sind.«

Er führte sie durch den Garten ins Haus. Im Flur zögerte er wieder. Schnell zog Simosch seinen Ausweis, nannte Namen und Dienstgrad. Über Wöhlers Nasenwurzel bildeten sich zwei steile Falten. Zum Wachtmeister gewandt, fragte er:
»Wollt ihr euch setzen?«
»Na ja, Hermann.«
Wöhler klinkte die Tür zum Wohnzimmer auf, zog sie aber wieder ins Schloss.
»Lieber nicht. Das Mädel wettert mit mir, wenn wir Dreck auf den neuen Teppich latschen.«
Er führte seine Besucher in die eichenholzgetäfelte Küche, hieß sie auf der Bauernbank mit den roten Schaumgummikissen Platz nehmen und ließ sich selbst auf einem der rustikalen Stühle nieder. Oberleutnant Simosch sagte, was gesagt werden musste, dann schwiegen sie. Alle drei. In die Stille hinein zerhackte die Küchenuhr die Zeit. Der Regen, der auf das blecherne Vordach tropfte, dröhnte ihnen in den Ohren. Und dann war da ein leises, schüchternes Glucksen, das erstarb, wiederkehrte, lauter jetzt, anhaltend und anschwellend zu einem qualvollen Stöhnen.
»Wer?«, schrie Wöhler. »Wer hat es getan?«
Es dauerte, bis er begriff, dass es darauf noch keine Antwort gab. Simosch legte das Messer auf den Küchentisch, das neben Janinas Kopf im Waldboden gesteckt hatte. Interesselos glitt Wöhlers Blick darüber hin. »Mein altes Fahrtenmesser«, sagte er. Dann wollte er wieder wissen, wer seine Tochter getötet habe.

2

Oberleutnant Simosch stand hemdsärmelig und in Socken am Fenster der »Bärenschänke«, der einzigen Gaststätte mit Pension in Wüstenstein. Die Fremdenzimmer, vier an der Zahl, lagen alle in der ersten Etage. Das Leistungsprofil garantierte fließend kaltes Wasser und eine Garage.
In dieser Garage also hätte Janina auch heute ihr Rad untergestellt, um mit dem Bus nach Markhausen zu fahren. Und das bei Wind und Wetter. Obwohl der Vater einen Mazda besaß.
Aus dem Radio drang eine Stimme an Simoschs Ohr, die von selten starken Kältewellen berichtete, von Schneefällen in Norditalien und Südfrankreich. Auch an der Ostsee fiel Schnee, seit den frühen Morgenstunden sogar in Berlin. Aber in Wüstenstein regnete es den dritten Tag.
Der ABV hatte angedeutet, Janina sei auf Skiern eine ausgezeichnete Langstreckenläuferin gewesen. Deshalb meinte Simosch, sie wäre ihrem Mörder entkommen, wenn Schnee gelegen hätte.
Entkommen für immer? Hätte er aufgegeben oder eine andere Gelegenheit gesucht, sie zu töten? Der Ort und die Umstände, unter denen der Mord begangen wurde, sprachen für eine geplante und durchdachte Tat: glitschiger, leicht ansteigender Pfad. Das Mädchen muss langsam fahren. Ihr Mörder lauert im regennassen Wald, vertritt ihr den Weg. Das Vorderrad rutscht im fußhohen Schlamm zur Seite, als sie ausweichen will. Das Hinterrad schleudert. Sie springt ab, um nicht zu stürzen. Sie wird in den Wald geschleift. Kriminaltechniker verstehen, aus Spuren zu lesen.

Nur, wer im Wald auf sie gewartet hatte, war nicht ersichtlich. Es konnte auch eine Frau gewesen sein, dachte Simosch. Sie hatte das Überraschungsmoment und die bessere Position für sich. Sie konnte zugepackt haben, während Janina verwundert oder beängstigt vom Rad gesprungen war.
Mit heftiger Geste zog Simosch den Vorhang vors Fenster, als werde dadurch das Bild des toten Mädchens vor seinem geistigen Auge unsichtbar. Er trat ins Zimmer zurück, schaltete das Radio aus, knüpfte einen Binder um und fuhr in den Sakko. Ein Problem war das Schuhwerk. Seine schwarzen Halbschuhe standen, sorgfältig mit Zeitungspapier ausgestopft, neben der Heizung, sauber zwar, aber durchgeweicht von Wüstensteins regennassen Wegen. Widerstrebend griff der Oberleutnant auf seine Reserve im Koffer zurück; derbe, wetterfeste, knöchelhohe Sportschuhe.
Inzwischen hatten sich etliche Fahrgäste, vom Bus aus Markhausen kommend, auf ein Bier und einen Schwatz in der »Bärenschänke« eingefunden. Selbst am Tresen war Gedränge. Simosch erwog, sich etwas aufs Zimmer zu bestellen und wandte sich an den Wirt.
»Für Sie habe ich einen Ecktisch reserviert.«
»Danke. Ein Platz an einem Tisch hätte auch genügt.«
»Ich dachte, vielleicht kommt noch jemand von Ihren Leuten. Oder der flinke Albrecht.«
»Wer?«
»Unser Wachtmeister. Nun kann er ja mal ’n Krimi erleben, statt so’n Zeugs bloß zu lesen.«
Von dem Ecktisch aus vermochte der Oberleutnant nahezu die gesamte Gaststube zu übersehen. Gesprächsthema war an jenem Nachmittag Janina Wöhlers Tod. Während der Wirt am Tresen bediente, schlängelten sich zwei Serviererinnen an

Tischen und Stühlen vorbei; die Frau des Gastwirts und ein junges Mädchen, groß, schlank, mit schwarzem, glattem, rückenlangem Haar, im Nacken mit einer Spange zusammengehalten. Schneewittchen, dachte er, nur ihr Gesicht ist eine Spur zu herb. Er schätzte sie drei oder vier Jahre älter als Janina. Trotzdem, meinte er, werden sich die beiden gekannt haben. Gewiss war Janina manchmal in die Schänke gekommen, um jemanden zu treffen oder sich bei einem Kaffee aufzuwärmen, ehe sie weiter zum Südteil des Ortes fuhr.

Er beobachtete die schwarzhaarige Kellnerin, wie sie mit bierbeladenem Tablett von Tisch zu Tisch ging, hier und da absetzte, kassierte, Bestellungen aufnahm. Sie arbeitete flink und ließ sich nicht nervös machen. Die meisten nannten sie Petra. Wer mehr als dreimal rief, erntete einen zurechtweisenden Blick aus ernsten Augen. Anzügliche Bemerkungen ihr gegenüber gab es nicht. Das Mädchen wirkte reifer als die ältere Wirtin, die immerzu lachend und redend zwischen den Gästen hin und her wuselte.

Als Petra an seinen Tisch trat, bemerkte er ihre schönen schlanken Hände, die Fingernägel mit rotem Lack überzogen, passend zur Farbe ihres Lippenstiftes.

»Bitte, Herr Simosch?«

Er bestellte Kaffee und fragte nach einem Imbiss, doch Abendessen gab es erst ab neunzehn Uhr.

»Haben Sie Janina Wöhler gekannt?«, fragte er.

»Sie war meine Freundin.«

Das war mehr, als er erwartet hatte. Er bat sie, den Kaffee aufs Zimmer zu bringen.

»Ich habe einige Fragen an Sie. Dem Wirt sage ich Bescheid.«

»Das ist nicht nötig.«

Während der Oberleutnant die Gaststube verließ, blickten

die meisten Gäste auf Simosch. Hinter seinem Rücken wurde getuschelt. Es hatte sich herumgesprochen, für wen der Ecktisch reserviert blieb.
Simosch zog als Erstes die Schuhe aus, stellte sie in den Schrank und schlüpfte in dünne, leichte Pantoffeln. Dann rückte er den Tisch vor die Schlafcouch. Der Sessel blieb der Kellnerin vorbehalten. Als es klopfte, ging er zur Tür.
»Bitte schön, Ihr Kaffee.«
Sie trug das Tablett zum Tisch, servierte mit geübten Griffen Kaffee, Milch, Zucker und Kuchen.
»Selbstgebackener. Steht nicht im Angebot. Es ist nur ein Versuch, Sie bis zum Abendbrot nicht verhungern zu lassen.« Der Oberleutnant bat sie, Platz zu nehmen. Sie schlug die Beine übereinander, nicht provozierend, nur so, dass sie bequem saß.
»Ich wüsste gern Ihren vollen Namen.«
»Petra Kuhnert.«
»Sie sind also Janinas Freundin gewesen. Bitte, erzählen Sie mir von ihr – und entschuldigen Sie, wenn ich währenddessen Ihren Kuchen vertilge.«
»Jetzt, wo sie tot ist«, sagte die Kellnerin, »kommt es mir vor, als wüsste ich gar nichts über sie. Oder nicht das, was wesentlich ist.«
»Im Dorf munkelt man, sie sei ein bisschen obenhin gewesen. Leichtsinnig.«
Sie zuckte die Schultern. »Im Dorf munkelt man vieles. Janina hat ihrer Natur gemäß gelebt.«
»Zum Beispiel?«
»Hat ihr die Liebe Spaß gemacht. Körperliche, unverbindliche Liebe.«
»Zu einem Mann oder zu mehreren?«

In Petra Kuhnerts Augenwinkeln saß ein Lächeln, als sie erwiderte: »Sagen wir, sie konnte an keinem Paradies vorübergehen. Sie hat es genossen, aber verlassen, ehe es ihr grau wurde. So haben sie auch die Männer gekannt, und wer sich mit ihr einließ, wusste, dass er bestimmt nicht der Letzte sein würde.«

»Vielleicht hat sie diese Lebensweise von ihrem Vater abgeguckt?«

Die Antwort kam sehr entschieden.

»Nein. Das hatte sie in sich. Sie war heißblütig. Und wenn eine Leidenschaft in ihr am Abklingen war, hat sie sie an einer neuen Liebe wieder aufgebaut. – Natürlich reizt so ein Verhalten zum Dorftratsch.«

Der Oberleutnant dachte wieder an Wöhlers Freundinnen, als er fragte: »Gab es Leute, die sie nicht gemocht oder die sie sich zum Feind gemacht hat?«

»Ich bin sicher, Janina konnte keinem ernsthaft böse sein. Dorfklatsch, der ihr zugetragen wurde, hat sie mit den Worten abgetan: Ach, die Leute. Ihr ist nie was richtig unter die Haut gegangen.«

»Vielleicht hat ihr gerade das Feinde gemacht?«

»Ich weiß nur von einer – Frau Schubert.«

Als sie schwieg, drängte Simosch: »Erzählen Sie. Wer ist diese Frau? Warum mochte sie das Mädchen nicht?«

»Weil es sich in ihren Mann verliebt hatte. Natürlich wusste Janina, dass Horst Schubert verheiratet war. Sie sah da kein Problem, weil sie ihn der Frau nicht wegnehmen wollte.«

»Und Frau Schubert kam dahinter?«

»Das war genau am achtundzwanzigsten Dezember, zu Benis Geburtstag.«

»Wer ist Beni?«

»Benjamin Balmer. Mein Freund. Wir hatten Janina und Horst Schubert eingeladen.«
»Womit Sie demonstrierten, dass Sie die Affäre gutgeheißen haben.«
Sie hielt Simoschs Blick stand.
»Ich konnte ihr bis dahin nicht böse sein. Ihr Liebesleben erschien mir bei ihr so natürlich.«
»Und was ist dann geschehen?«
»Janina und Horst saßen eng umschlungen auf der Couch, als Frau Schubert eintrat. Vor Schreck waren wir ganz still. Frau Schubert sah grau aus im Gesicht und enttäuscht. So enttäuscht. In diesem Augenblick habe ich mich selbst dastehen sehen, betrogen, verletzt, einsam. Da habe ich Janina gehasst.«
Sie blickte durch Simosch hindurch und ihr Mund wurde hart.
»Wie hat Frau Schubert reagiert?«
»Sie hat die beiden nur angesehen. Die saßen wie erstarrt. Plötzlich ist Frau Schubert aus dem Zimmer gelaufen.«
»Und Janina?«
»Janina fand als Erste die Sprache wieder. Sie sagte zu Horst Schubert: ›Deine Frau hat dich so traurig angesehen wie ihr bestes Möbelstück, das jemand kaputtgemacht hat.‹«
»Ist Horst Schubert geblieben?«
Sie schüttelte den Kopf.
»Wissen Sie, wie es mit Schubert weitergegangen ist?«
»Seine Frau wollte sich scheiden lassen.«
»Und Sie? Haben Sie Janina weiterhin gehasst?«
»Nein! Das war nur einen Augenblick lang, als ich mich an Frau Schuberts Stelle sah. Die Schuld trifft Horst Schubert, er war verheiratet, nicht Janina.«

»Was meint Ihr Freund zu Janina?«
»Ihn wundert, dass wir so gut miteinander stehen. Denn eigentlich sind wir grundverschieden.«
»Mochte er Janina?«
»Sie möchten wissen, ob sie versucht hat, mit ihm anzubändeln? Nein, zwischen den beiden ist nie etwas gewesen«, sagte sie ohne ein Anzeichen von Erregung.
»Wie schön, dass Sie so sicher sein können.«
»Wir wollten in drei Wochen heiraten.«
»Sie wollten?«
»Janina war auch eingeladen, deshalb möchte ich vorläufig keine Feier.«
Simosch sagte, das sei alles für heute, wahrscheinlich müsse er ihr in den folgenden Tagen noch einige Fragen stellen. Sie nickte, erhob sich und räumte das Geschirr aufs Tablett. Er hielt ihr die Tür auf, und sie wünschte ihm einen guten Abend.
Als er allein war, zog er die Vorhänge vom Fenster zurück und riegelte es auf. Eisige Luft biss ihm ins Gesicht. Die Temperatur war innerhalb kurzer Zeit stark gefallen. Der Regen war vorüber. Hin und wieder sickerte Mondlicht durch die aufgerissene Wolkendecke. Er beschloss, noch einmal nach Wüstenstein-Süd zu fahren, um ein oder zwei Stunden dort zu sein, wo das Mädchen gelebt hatte. Janina Wöhler – ein weiblicher Don Juan. Janina, vom Vater großgezogen, dem sie nun die Freundinnen vertrieb. Was würde er noch über sie erfahren? Er musste Fakten sammeln, prüfen, Zusammenhänge aufspüren und Hintergründe erforschen. Irgendwo in ihrem Leben steckte ein Fingerzeig auf ihren gewaltsamen Tod.
Simosch verriegelte das Fenster wieder, zog die Sportschuhe

an, nahm den Mantel vom Haken und verließ das Zimmer. Die Hintertür war schon verschlossen. Er musste den Weg durch die Gaststube nehmen, durch Lärm, Rauch, vorbei an Männern und Frauen. Als sie ihn erkannten, verstummten die Gespräche. Sie verfolgten ihn mit den Augen. Auch die Kellnerin. Ihre Hand lag auf der Schulter eines jungen Mannes. Er lehnte den Kopf an ihren Arm. Auffallend seine blasse Hautfarbe, das fahle, lockige Haar und die hellen Augen, die Kümmernis verrieten. Von allen Gesichtern, die Simoschs Blick im Vorübergehen streifte, prägte sich ihm nur dieses ein. – Beni Balmer, dachte er.

Der schneidend kalte Wind war heftiger geworden und trieb Schneeflocken heran, wirbelte sie hoch, kaum dass sie die Erde berührt hatten.

Behutsam fuhr Simosch den Wagen aus der Garage und lenkte ihn im Schritttempo auf der vom Regen vereisten Dorfstraße zum Wald hin. Dort kam er schneller voran. Hier war der Boden noch nicht vereist. Plötzlich sprang etwas über den Weg, blieb einen Augenblick lang stehen, geblendet von den Scheinwerfern des Wagens. Simosch bremste, glaubte, ein Reh aufgescheucht zu haben, sah aber einen Burschen aus dem Lichtkegel springen. Er riss die Wagentür auf und hörte leises, unterdrücktes Stöhnen.

Der Oberleutnant knipste seine Taschenlampe an. Wenige Meter vom Weg entfernt lehnte ein junger Mann, nicht viel älter als zwanzig, rücklings an einem Baumstamm. Er war von kräftiger Statur, hatte braunes, kurz gehaltenes Haar und Augen, die vor Schmerz und Wut klein und dunkel waren. Er rieb sich das Fußgelenk.

»Verdammt, ich hab was mit dem Knöchel«, sagte er, als Simosch heran war.

»Und damit wollten Sie durch den Wald flitzen?«
»Quatsch.«
»Na, dann kommen Sie mal mit zum Wagen.«
Simosch schob ihm seinen Arm unter und stützte ihn so, dass er auf dem gesunden Fuß hüpfen konnte.
»Setzen Sie sich quer hin. Legen Sie das Bein hoch.«
Er schlug die Tür zum Wagenfond zu und nahm wieder hinter dem Steuer Platz.
»Wüstenstein-Süd«, sagte der Junge. »Hintergasse fünf.« Und nach einer Weile: »Polizei also. Falls Sie der Polizei den Wagen nicht geklaut haben.«
»Freut mich, dass Sie schon wieder so munter sind.«
Was hat der wohl um diese Zeit im Wald gesucht, dachte Simosch. Der ist nicht den Weg entlanggelaufen, sondern kam aus dem Wald gerannt und wollte auf der anderen Seite im Dickicht verschwinden. Dabei ist er ausgerutscht und hat sich den Fuß verstaucht.
»Für'n Polizisten sind Sie ziemlich schweigsam. Ein anderer hätte mir längst Löcher in'n Bauch gefragt. Und den Ausweis verlangt.«
»Den Sie leider nicht eingesteckt haben.«
»Guck an, ich bin an einen Hellseher geraten.«
»Tja, die tollsten Burschen unter uns schweigen und wissen.«
»Und so was muss mir passieren.«
Seine Ironie war nicht frei von Beklemmung. Simosch besaß ein Gehör für Untertöne. Sie ließen den Wald hinter sich. Vor ihnen, in der Talsenke, blinkten vereinzelt Lichter. Der Oberleutnant hielt den Wagen an.
»Auf dieser Eisbahn fahre ich nicht bergab. Also aussteigen und Zähne zusammenbeißen.«
Wiederum stützte er den Burschen beim Gehen. Die Hinter-

gasse fünf war ein kleines, frischverputztes Einfamilienhaus. Simosch klopfte an die Tür.
»Unheimlich«, sagte der Junge spöttisch. »Sie wissen sogar, dass die Klingel nicht funktioniert.«
Simosch hatte sie einfach übersehen. Ihn interessierte der Name Weitling am Türschild. Drinnen näherten sich der Tür kleine, feste Schritte. Die Tür wurde entriegelt und geöffnet. Ein junges Mädchen, drall und stupsnasig, schrie überrascht auf.
»Lukas! Mein Gott, was ist denn passiert?«
Lukas blickte trotzig und schwieg. Dem Oberleutnant schien es, er habe nicht erwartet, das Mädchen hier vorzufinden. Er sagte: »Ich habe ihn im Wald aufgelesen.«
Misstrauen breitete sich über das Mädchengesicht. Unverblümt stellte sie die Frage, die Simosch die ganze Zeit über beschäftigt hatte: »Was hast du denn um diese Zeit im Wald zu tun?«
»Mein gesundes Bein schlägt Wurzeln«, entgegnete der Junge statt einer Antwort.
Eine Frau mit hohlen Wangen und Ringen unter den Augen kam zur Tür: »Komm doch rein, Lukas.«
Sie zog seinen Arm um ihre Schultern und führte ihn ins Haus.
»Und wer sind Sie?«, fragte das Mädchen.
Diesmal antwortete Lukas Weitling, bevor der Oberleutnant den Mund aufkriegte.
»Das ist 'n Freund und Helfer.« Und über die Schulter zu Simosch: »Danke, Hellseher.«
»Wo im Wald haben Sie ihn denn gefunden?«, fragte das Mädchen.
»Das wird er Ihnen gewiss alles selbst erzählen wollen.«

Simosch wandte sich der Straße zu, blieb jedoch stehen, als er im Haus die schrille Stimme des Mädchens vernahm.
»Das sollte also weitergehen! Hast du denn nicht gewusst, dass sie tot ist?«
»Geh nach Hause, Beate«, erwiderte Lukas.
Eine Tür schlug zu. Im Hausflur erlosch das Licht.

In der Dunkelheit schien sich die glatte Straße unendlich hinzuziehen. Die Hunde verbellten Simosch von Gehöft zu Gehöft. Auch hinter der Fichtengruppe, die Wöhlers Anwesen versteckt hielt, kläffte es. Simosch bemerkte, dass im Haus noch Licht brannte. Er klinkte an der Gartentür. Sie gab nach. Seltsamerweise beruhigte sich der Hund, je näher Simosch dem Hause kam. Jetzt hörte er Stimmen. Hermann Wöhler hatte Frauenbesuch. Die Frau weinte. Ihr Weinen war eine Folge kleiner hoher Schluchzer, die einen seltsamen Kontrast zu Wöhlers rauem Organ bildeten, mit dem er auf seine Besucherin einredete.
Simosch beeilte sich, die Tür zu erreichen, da wurde sie plötzlich aufgerissen. Er sprang zur Seite. Licht flutete an ihm vorbei den Vorgartenweg entlang.
»Geh! Lass dich hier nicht wieder sehen!«
»Hermann! Das kannst du nicht machen! Bei Nacht und Nebel! Wenn er nun noch rumschleicht draußen, der Mörder …«
Wöhler schob sie durch die Tür. Sie stolperte, doch sie fiel nicht hin. Nur ihr Haardutt war verrutscht.
»Fürs Mädel warste erledigt, und für mich biste erledigt!«
Zum zweiten Mal an diesem Abend hörte Simosch eine Tür zuschlagen.
»Haben Sie keine Angst«, sagte er schnell, als er auf den Weg zurücktrat.

Die Frau schrie auf und wollte zurück ins Haus. Der Oberleutnant packte sie am Handgelenk.
»Unsinn. Der lässt Sie sowieso nicht ein.«
Sie blickte Simosch an. Ihr Gesicht wollte eine Erinnerung in ihm heraufbeschwören, doch er vermochte sich nicht zu konzentrieren. Die Frau riss sich energisch los und rückte den Haardutt zurecht. Es gelang ihr, sogar ein wenig Herausforderung in die Stimme zu legen, als sie feststellte: »Sie habe ich in dieser Gegend noch nie gesehen.«
»Oberleutnant Simosch. Leiter der Mordkommission.«
»Wirklich?«
Ihre Frage drückte mehr Zweifel als Überraschung aus.
»Meinen Ausweis zeige ich Ihnen unter der nächsten Straßenlaterne.«
»Falls die brennt«, meinte die Frau und ließ ihn vorangehen.
Sie mussten bis zur übernächsten Laterne laufen, dort setzte sie ihre Brille auf und besah sich Simoschs Legitimation.
»Dann will ich Sie nicht länger bei Ihrer Arbeit behindern. Hermann Wöhlers Haus kennen Sie ja.«
»Meine Arbeit«, erwiderte Simosch, »besteht im Augenblick darin, Ihren Personalausweis einzusehen und Sie sicher nach Hause zu bringen.«
Sie hieß Ruth Grammelein und wohnte in Erlagrün. Von der Karte her wusste der Oberleutnant, dass Erlagrün dort begann, wo Wüstenstein-Süd endete. Er reichte der Frau, die nach Albrechts Erzählung Hermann Wöhlers jüngst verflossene Freundin war, den Ausweis zurück.
»Viertelstündchen Fußweg«, sagte sie. »Bei der Glätte fünf Minuten länger.«
Simosch bot ihr seinen Arm, und sie stiefelten los, untergehakt wie ein Ehepaar. Simosch erinnerte sich, dass er mit

Christina, seiner Frau, nur ein einziges Mal Arm in Arm gegangen war; die Stufen zum Standesamt hinauf und nach der Trauung wieder hinunter. Das lag drei Jahre zurück. Wenn sie spazieren gingen, liebte es Christina, ihre Hand in seine zu legen. Der letzte Spaziergang lag ebenfalls lange zurück. Simosch hätte gern seine Gedanken nach Hause zu Christina wandern lassen, doch er musste sich jetzt für Frau Grammelein interessieren.

»Weshalb bestand Herr Wöhler darauf, dass Sie gehen?« Als sie die Schultern zuckte, fügte er hinzu: »Das ist keine persönliche Neugier.«

»Ich kann's mir auch nicht erklären.«

Ob sie versucht hatte, die alte Beziehung wieder aufzunehmen, nun, wo Janina nicht mehr lebte?

»Seit wann kennen Sie ihn?«

»Vier Monate ungefähr sind wir näher miteinander befreundet.«

»Was sagte denn seine Tochter dazu?«

»Janina und ich waren nicht immer einer Meinung. Was soll's. Ich wollte ihn heiraten, nicht das Mädel.«

Simosch interessierte sich für die Meinungsverschiedenheiten.

»Ach, lächerliche Dinge«, wehrte sie ab, »nichts, was der Rede wert wäre.«

»Immerhin war es ihm Ihren Rausschmiss wert.«

»Ich hätte nicht heute zu ihm gehen sollen. An solchen Tagen … Manche brauchen Beistand, andere drehen durch, wenn man sie nicht allein lässt.«

»Was hatte Janina gegen Sie?«

»Gegen mich gar nichts. Sie wollte nur im Haus niemanden neben sich dulden. Kindliche Eifersucht. So was gibt sich.«

»Hält man das durch, bis es sich gegeben hat?«
»Wollen Sie darauf hinaus, dass meine Vorgängerinnen wegen Janina davongelaufen sind?«
Simosch fasste das als rhetorische Frage auf und schwieg.
»Ich hab mir gesagt, über kurz oder lang wird sie jemanden finden, mit dem sie einen eigenen Hausstand gründet, und dann ist Ruhe.«
»Nun ist ja Ruhe.«
Das Zittern ihres Körpers teilte sich Simosch mit. Sie wollte ihm ihren Arm entziehen, als es ihr bewusst wurde, doch Simosch ließ es nicht zu. Achtsam tastete sie mit den Fußspitzen den holprigen, gefrorenen Boden ab, ehe sie die Sohle fest aufsetzte, und mit der gleichen Vorsicht, die Folgen für einen Fehltritt bedenkend, wählte sie die Worte.
»Ich habe es immer gut gemeint mit Janina. Auch vor drei Wochen, als ich ihr vorhielt, sie habe sich nicht die richtigen Freunde ausgesucht.«
»Was meinen Sie damit?«
»Ein junges, gut aussehendes Mädchen wie Janina hat viele Verehrer, aber sie legte es darauf an, den Freund einer Freundin zu verführen. Kurz zuvor war sie noch mit einem verheirateten Mann liiert.«
»Sie war intrigant?«, fragte Simosch.
»Wenn sie das gewesen wäre, wäre ich ihr aus dem Weg gegangen. Ich denke, sie hat nicht einmal begriffen, was sie anrichtete. Für sie war die Liebe ein amüsantes Spiel.«
»Wie hat sie auf Ihre Vorhaltungen reagiert?«
»Eigentlich überhaupt nicht. – Sie schwieg und ließ mich reden.«
»Änderten die Vorwürfe etwas an Ihrem Verhältnis zu Janina?«

»Ich hielt es für besser, mich ein Weilchen zurückzuziehen, abzuwarten, bis sie einsichtig geworden war.«
»So ganz von allein?«
»Junge Menschen ändern ihren Sinn oft schnell.«
»Und Janinas Vater?«
»Fand meine Entscheidung richtig.«
Das heißt, kommentierte Simosch in Gedanken, Wöhler hat nicht zu seiner Freundin, sondern zu Janina gehalten.
»Heute«, sagte Frau Grammelein, »bin ich zu ihm, einfach um ein paar gute Worte zu sagen.«
»Wer war Janinas verheirateter Liebhaber?«
»Horst Schubert aus Markhausen. Den konnte sie um den Finger wickeln.«
Während ihres Gespräches hatten sie Erlagrün erreicht, und Frau Grammelein ging auf das Haus zu, an dem mit frischer Farbe HO – Haushaltwaren geschrieben stand. Die Straßenlaterne warf Licht auf einen Container mit leeren Plasteflaschen und übereinandergestapelte Kisten.
»Was denn! Das Leergut immer noch nicht abgeholt!«
»Sie arbeiten hier?«, fragte Simosch.
»Verkaufsstellenleiterin mit Wohnung in der ersten Etage, damit ich mich auch nach Feierabend noch ärgern kann, wenn ich sehe, wie's nicht klappt. Vielen Dank für die Begleitung.«
Simosch gab ihren Arm frei.
»Und wem hat Janina den Freund ausgespannt?«
Frau Grammelein lehnte sich gegen den Container. Mit der Schuhspitze bohrte sie ein Loch ins Pfützeneis, hielt den Blick gesenkt und beobachtete die Risse, die sich knirschend durch die dünne Eisdecke zogen.
»Meiner Tochter.«
Nach einer Weile blickte sie auf.

Oberleutnant Simosch stand vor ihr und rieb sich die Handgelenke.
»Ihnen ist kalt …«
Er schüttelte den Kopf.
»Vielleicht war alles nur Gerede?«, fragte er. »Dorftratsch?«
»Ja, das denke ich auch«, sagte Frau Grammelein ein wenig zu schnell.

3

Gegen 21.30 Uhr traf der Oberleutnant wieder in Wüstenstein ein. Zu früh zum Schlafengehen und zu spät, um noch einen Besuch abzustatten. Doch drüben bei Wachtmeister Albrecht bemerkte er noch Licht. Simosch verspürte Lust, mit dem ABV seine abendlichen Erlebnisse zu besprechen. Wie verbrachte ein Junggeselle – oder war er geschieden? – seine Abende in diesem einsamen Ort? Fernsehen? Briefmarken? Dias? Vielleicht hatte er eine Frau eingeladen.

Das Haus war unverschlossen, aber Simosch konnte keinen Lichtschalter finden und stieß mit der Stirn gegen eine Tür. Drinnen grunzte jemand erschrocken auf. Dann war es wieder still. Simosch klopfte. Schritte hatte er nicht gehört, doch der flinke Albrecht stand schon hinter der Tür und fragte streng: »Wer da?«

»Der Hund von Baskerville. Aber ich bin schon gefüttert worden.«

Ein Riegel quietschte, gleich darauf knarrte die Tür. Der kleine ABV streckte dem Oberleutnant beide Hände entgegen.

»Willkommen! Willkommen! – Welch Glanz ist in meiner Hütte!«

»Mir schien, ich habe Sie erschreckt.«

»Und wie!« Er nahm ihm den Mantel ab, warf ihn über eine Stuhllehne. »Hatte mich wieder mal mit der guten alten Agatha beschäftigt – Alibi.«

Das Zimmer, in dem Wachtmeister Albrecht seiner Leidenschaft frönte, erinnerte Simosch an eine Baude. Decke und zwei Wände holzverkleidet, Esstisch, passende Stühle dazu.

Der Kachelofen verbreitete angenehme Wärme. Die dritte Wand verdeckte ein Bücherregal.

»Selbst gebaut.« Der Wachtmeister zwinkerte Simosch zu. »Links unten ist die Giftecke.«

Vom Fachbuch für Kriminalistik über Edgar Wallace und Chandler bis hin zur DIE-Reihe entdeckte Simosch eine stattliche Sammlung.

»Bitte Platz zu nehmen.«

Albrecht dirigierte seinen Gast zu einem runden Tischchen, auf dem Alibi lag, kerzenbeleuchtet. Die Stehlampe war ausgeschaltet. Simosch setzte sich in einen Ohrensessel und versank in Behaglichkeit.

»Was darf ich Ihnen anbieten, Genosse Oberleutnant?«

»Schenken Sie sich den Oberleutnant. Das ist kein dienstlicher, sondern ein nachbarlicher Besuch zur Abendstunde. Ich heiße Karl Simosch.«

»Otto Albrecht.« Die kleine Verbeugung fiel so gekonnt aus, als bewege sich der Wachtmeister ausschließlich in streng nach Etikette lebenden, gut bürgerlichen Kreisen. »Was würden Sie denn zu einer Flasche jugoslawischen Rotwein sagen, Marke Kratoshia?«

»Sei willkommen, würde ich sagen.«

Während Albrecht Flasche und Gläser brachte, blätterte der Oberleutnant in Christies Roman.

»Sie sagten, dass Sie es zum wiederholten Male lesen. Warum? Und warum gerade Alibi?«

Der Wachtmeister stellte ein Tellerchen mit Salzstäbchen auf den Tisch und schenkte Wein ein.

»Alibi ist eine seltene und seltsame Geschichte. Der Erzähler ist der Mörder. Beim ersten Lesen hat mich die gute Agatha mächtig damit überrascht. Jetzt versuche ich dahinterzukommen, welche Ereignisse und Bemerkungen mich hätten stutzig machen müssen. Aber trinken wir erst mal. Auf diesen Abend.«

»Auf diesen Abend.«

Sie hoben die Gläser. Während er trank, dachte Simosch, dass man sich oftmals unangebracht Großes ausdachte für einen Toast. Albrecht trank auf das Nächstliegende, auf diesen Abend, und das gefiel ihm.

»Janinas Mörder«, sagte der Wachtmeister, »ist nicht der große Unbekannte. Der lebt in unserem oder im Nachbardorf.«

Und er wird uns seine Geschichte erzählen, dachte Simosch, ein Alibi nennen, vielleicht seine Mithilfe anbieten. Die Geschichte wird der Wahrheit sehr nahe kommen, bis auf ein kleines, geschicktes Verschweigen, eine wohlüberlegte Ungenauigkeit, die ausreicht, glaubhaft zu bleiben und uns in die Irre zu führen. Wenn dieser ABV nicht nur in Büchern, sondern auch im Leben einen kritischen Blick für Ereignisse und Bemerkungen besitzt, ist er mein Mann.

Sie tranken und hingen ihren Gedanken nach.

»Wer weiß«, sagte Simosch schließlich, »vielleicht bin ich heute Abend dem Mörder schon begegnet und habe ein Stück von seiner Geschichte erfahren.«

»Mit wem hatten Sie es denn zu tun?«

»Mit Schneewittchen, einem jungen Mann, der Unsicherheit hinter Ironie verbirgt, und einer von Hermann Wöhlers ehemaligen Freundinnen.«

Der Oberleutnant erzählte ihm von seinen abendlichen Gesprächen und Begegnungen.

»Um uns zu verständigen«, sagte er, »werden wir weiterhin von dem Mörder oder dem Täter sprechen, aber wir wissen, es könnte auch eine Frau gewesen sein.«

Der Wein war ausgetrunken. Albrecht deutete mit dem Daumen zum Schrank.
»Dort steht noch eine.«
»Falls die sich einsam fühlt, sollten wir sie zu Tisch bitten.«
Schon stand der Wachtmeister mit einer kleinen Verbeugung vor dem Schrank. »Gnädige Frau …!« Die Flasche in der Hand, wandte er sich Simosch zu. »Eine Frau, sagen Sie. Vielleicht eine, die sich rächen wollte, weil man ihr den Mann weggenommen hat?«
»Oder den Freund verführt«, ergänzte Simosch und dachte, dass es ihnen nicht gelingen würde, sich abzulenken. Weder durch Bücher noch durch Wein. Ihre Gedanken kehrten immer wieder zu Janinas Tod zurück, zu den quälenden Fragen: Wer und warum? »Eine hatte doppelten Grund, Janina nicht gewogen zu sein.«
Der Wachtmeister schwieg noch immer, füllte die Gläser und dachte: Was der sich bloß zusammenreimt! Die Grammelein und töten! Darauf kann nur einer verfallen, der sie nicht kennt. Aber das war kein sachliches Argument, das er einem MUK-Leiter entgegenhalten konnte. Unvermittelt sagte er: »Es gehört zu den Gesetzmäßigkeiten des Kriminalromans, dass der Täter gefasst wird.«
»Nach diesem Gesetz tritt auch die Kriminalpolizei an«, erwiderte Simosch kühl, befremdet über Albrechts dozierenden Ton.
»Klar. Und wir finden ihn. Und darauf trinken wir gleich noch ein Gläschen.«
Simosch amüsierte das selbstbewusste »wir«.
Sie unterhielten sich über Kriminalliteratur, doch ebenso unvermittelt, wie Albrecht das Gespräch darauf gebracht hatte, brach er es wieder ab.

»Beate Grammelein«, sagte er, »ist ein gutmütiges Schäfchen. Die verzeiht Lukas den Fehltritt.«
»Ich hatte heute Abend nicht den Eindruck, dass er großen Wert darauf legt.«
»Ach was, der ist bloß manchmal ein bisschen ruppig. Aber die Beate hat er gern, denke ich. Eben weil sie ruhiger ist als er und geduldiger.«
»Wenn ich bloß wüsste«, murmelte Simosch, »was er heute Abend im Wald gesucht hat.«
»Sie hätten ihn ja fragen können.«
Ein leichter Vorwurf war nicht zu überhören.
»Da wäre ich jetzt auch nicht schlauer. Man muss wissen, wann Fragen angebracht sind.«
»Was die Grammelein betrifft, die ist integer. Ihr Vorgänger hatte bei – bei Haushaltswaren eine Liste …«
Albrecht wurde die Zunge schwer, doch Simosch horchte auf. »Was für eine Liste?«
»Für zu be-vor-zu-gen-de Kunden«, skandierte Albrecht.
»Und was waren das für Leute?«
»Großkopfige, sagen wir. Bürgermeister, Arzt, Postamt, Wohnungsverwaltung und so.« Albrecht hatte sich wieder in der Gewalt.
Also Leute in bestimmten sozialen Stellungen, registrierte Simosch im Stillen.
»Der Hermann Wöhler stand auf der Liste, seit er den Fuhrpark leitet.«
»Die Polizei auch?«
Albrecht lächelte. »Einem kleinen ABV witzig kommen, was?«
»Und Weitlings?«, fragte Simosch.
»Weitlings«, wiederholte der ABV und dachte, kapiert denn

der überhaupt nichts oder tut der bloß so? »Die sind doch nichts und niemand. Nicht für mich, verstehen Sie? Aber für Leute, die Listen führen.«

»Und warum sind sie niemand?«

»Weil sie nichts zu bieten haben. – Nicht mal ’n Mann im Haus.«

»Aber der Lukas …«

»Ist doch noch ’n Kindskopf.«

»Und sein Vater?«

»An Krebs gestorben.«

»Frau Weitling machte auch nicht den Eindruck, als sei sie gesund.«

»Leidet an Kopfschmerzen. Ich meine, da steckt was Seelisches dahinter. Sie hat’s, seit der Mann tot ist.«

»Geht sie arbeiten?«

»Paar Stunden. In Süd gibt’s ’ne Konsumverkaufsstelle für Lebensmittel, dort macht sie sauber.«

»Und wo arbeitet ihr Sohn, der Lukas?«

»Der war bei Wöhler in der Fahrbereitschaft. Hat aber den Kram hingeschmissen.«

»Warum?«

»Können Sie mich nicht was Leichteres fragen? Ich bin nicht dahintergestiegen. Er sagte, er wolle wieder in der Gärtnerei anfangen.«

»Liegt ihm denn so etwas?«

»Er hatte ursprünglich ’ne Lehrstelle in der Gärtnerei, aber das hat ihm eines Tages auch nicht mehr gepasst. Fragen Sie mich bloß nicht wieder, warum!«

»Wie lange ist er denn schon mit Beate Grammelein zusammen?«

»Das geht jetzt ins zweite Jahr. Die versteht sich auch gut mit

seiner Mutter. Nein, der Lukas hat keinen Grund, sich von dem Mädel abzuseilen.«
Simosch fühlte seine Glieder schlafschwer werden. Träge fragte er: »Die Frau Grammelein führt also nicht so eine Liste?«
»Nein! Die ist eine integre Person. Das sollten Sie nun aber mal begreifen! – Da ist noch ein Rest in der Flasche.«
»Soll er sehen, wie er da drinnen zurechtkommt.«
Simosch unterdrückte ein Gähnen.
»Und für ihre Verkaufsstelle legt sich die Grammelein in die Riemen. Heute Morgen am Bus sagte sie zu mir: ›Otto, jetzt fahr ich zum Großhandel und mach Sturm wegen …‹ Hick …«
»Heute Morgen?«, fragte Simosch, hellhörig geworden. »Am Bus? Wie kommt sie denn von Süd zum Wüstensteiner Bus?«
»Fährt Motorrad. Eben ’ne dolle Person.«
»Fährt durch den Wald«, stellte Simosch fest.
»Drüber kann sie nicht. Hat ein Motorrad, keinen Hubschrauber.«
Sie hätte das Fahrrad entdecken müssen, überlegte der Oberleutnant. Oder sie hat Janina überholt und war früher im Wald als das Mädchen. Frau Grammelein war bei Wöhlers ein und aus gegangen. »Und Wöhlers Fahrtenmesser?« Die letzten Worte hatte er laut gedacht.
»Symbolische Handlung vom Täter, falls es die Tatwaffe war«, erwiderte Albrecht.
»Der Bericht vom KI bestätigt, es war die Tatwaffe.«
Albrecht nickte. »Messer neben Opfer. Ähnlich auch bei Wallace, wo …«
Simosch erhob sich.
»Im Wein liegt Wahrheit. Gehen wir zu Bett und lassen sie über uns kommen.«

Der Wachtmeister begleitete seinen Gast aus dem Haus. Gegenüber in der Bärenschänke waren die Vorhänge zugezogen, doch die Tür fand Simosch unverschlossen. Beleuchtet war nur der Tresen. Und über den Tresen rutschte der Wirt, gepackt von einem Burschen, der mit dem Rücken zum Oberleutnant stand. Simosch drückte den Lichtschalter. Der Wirt plumpste vor dem Tresen zu Boden. Sein Gegner starrte Simosch an. Das Gesicht – das einzige, das Simosch sich eingeprägt hatte, als er durch die Gaststube gegangen war.
»Beni Balmer kriegt jetzt was zu trinken, ihr Armleuchter!«
Ein junger, kräftiger Mann. Mit glänzenden Augen wankte er zum Tisch, setzte sich schwer auf einen Stuhl und winkte großspurig Simosch heran.
»Komm her, Kumpel. Setz dich auf das, waste bist!«
Der Oberleutnant blieb dicht vor ihm stehen.
»Seien se vorsichtig«, mahnte der Wirt, der sich inzwischen hochgerappelt hatte. »Wenn er besoffen is, wird er tückisch.«
»Tückisch«, wiederholte der junge Mann. »Ja, das ist er. Aber das Mädel! Wenn einer was gegen das Mädel sagt …«
Er ballte die Fäuste.
»Gegen ein Mädel wie deine Petra«, meinte der Wirt beschwichtigend, »sagt doch kein Mensch was.«
»Quatsch. Petra. – Die kleine Wöhler … prima Kerl gewesen. 'n Kumpel, fallste weißt, was das ist. Und nun isse tot.«
Er schluckte, wollte aufstehen und Simosch am Kragen packen. Simosch griff schneller zu.
»Hab zu viel intus«, stellte Benjamin Balmer fest. Seine unruhigen Augen versuchten, sich an Simoschs Blick zu klammern. »Aber ich hau dir 'n Schädel ein, wenn du auf das Gequatsche reinfällst. Das Mädel war in Ordnung.«
Er wurde schlaff. Simosch ließ ihn langsam zu Boden glei-

ten. Der Wirt schob Stühle zusammen, und sie betteten ihn darauf.

»Nicht, dass der Beni ’n schlechter Kerl wär«, sagte der Wirt. »Bloß, wenn der Alkohol im Blut hat …«

»Trinkt er oft?«

»Noch ’n paar Kneipengänger wie den, und ich kann de Budike zumachen. Nee, an dem is nischt zu verdienen. – Die Janina erstochen! Nu, ich könnt mir denken, heute musste mancher zur Flasche greifen.«

4

Ännchen von Tharau … Den ganzen Tag über war das Lied in meinem Kopf. Selbst als mich der Oberleutnant besuchte. Horst und ich haben oft Volkslieder gesungen. Im Chor, zu Hause, beim Spazierengehen im Wald.
Im Wald! Ich hätte mir ein Alibi zurechtlegen sollen. Dass sie mich vernehmen würden, war vorauszusehen. Ich sei im Bett gewesen, habe ich diesem Simosch erzählt. Allein, weil mein Mann bei seiner Mutter wohnt, seit ich ihn hinausgeworfen habe.
Sie ist mein Leben, mein Gut und … es ist nur ein Lied. Die Wirklichkeit sieht anders aus. Leider wird mir das erst im Alter von zweiundvierzig Jahren bewusst.
»Wie lange sind Sie verheiratet?«
Das konnte ich ihm ganz genau sagen. Darüber habe ich in der letzten Zeit oft nachgedacht. Fünfzehn Jahre, vier Monate und zweieinhalb Wochen. Wie kann nach einer so langen Zeit geschehen, was uns geschehen ist. Es war doch eine gute Ehe. Bis die Wöhler auftauchte. Die hat alles aus dem Gleichgewicht gebracht.
Von solchen Krisen, sagte der Oberleutnant, werde irgendwann jede Ehe belastet. Darauf sollte man innerlich vorbereitet sein. Ich war es nicht, hatte es fünfzehn Jahre lang nicht nötig, einen Gedanken daran zu verschwenden! Und das wäre so weitergegangen, wenn nicht diese Person … Es ist besser, man hält sich zurück. Der Mann ist Polizist.
Er hat keine Miene verzogen. In den Gesichtern meiner Kunden, die sich in der Kreisbibliothek Bücher ausleihen, verstehe ich zu lesen. – Hat es Ihnen gefallen? – Ja, ganz großartig!

– Dabei sind ihre Augen leer. Sie haben das Buch gar nicht aufgeschlagen oder nicht verstanden. Anderen scheinen die Bücher in der Tasche festzukleben. Wenn sie sie endlich auf den Tisch gelegt haben, wird noch einmal durchgeblättert. Angeblich nach vergessenen Lesezeichen. Die Berührung ist eine letzte Liebkosung, ein Abschied.
Ich weiß nicht, was der Oberleutnant von mir hält. Seine Fragen waren sachlich, präzise. Reine Routine, nehme ich an.
»Wann sind Sie zur Bibliothek gegangen?«
»Dreizehn Uhr dreißig.«
Er wird es nachprüfen, und es wird stimmen. Doch bis dreizehn Uhr dreißig kann ich sonst etwas getan, zum Beispiel das kleine Luder erstochen haben, von dem Horst meint, es sei sexuell so beeindruckend gewesen.
»Wie haben Sie auf seine Feststellung reagiert?«
Ganz verstört. Über diese Dinge ist nie gesprochen worden. Nicht so – beschämend direkt. Und ich war verletzt. Tief verletzt. Meiner Liebe zog er die Reize eines hübschen Lärvchens vor! Ich habe nicht begriffen, ob er mich trösten oder sich rechtfertigen wollte, als er sagte, er liebe noch immer mich. Das mit der anderen sei nur Sex. Und Sex komme ohne Liebe aus. Liebe ohne Sex nicht.
»Wo haben Sie sich bis dreizehn Uhr dreißig aufgehalten?«
Er fragte es zögernd, rechnete wohl, während er sprach, ob die Zeit zwischen dem Mord an der Wöhler und meinem Erscheinen in der Bibliothek für einen Spaziergang durch den Wüstensteiner Wald über Krummbach nach Markhausen gereicht hat.
Hier sei ich gewesen, habe ich ihm gesagt, hier in diesem Zimmer. Sicherlich forscht er nach Personen, die mich in dieser Zeit gesehen haben. Er wird keine finden.

»Kannten Sie Janina Wöhler?«
Als ich sie, an meinen Mann geschmiegt, sitzen sah, erinnerte ich mich. Die junge Frau, die Märchenbücher auslieh. Sie war mir sympathisch gewesen. Blaue, klare Augen, unbefangen. Ich habe mich mit ihr unterhalten. Sie mochte das Wunderbare an den Märchen. In der Werkstatt täglich Präzisionsarbeit. Gut bezahlt und herzzerreißend langweilig, meinte sie. Grimms Märchenbuch wollte sie. Das große mit den schönen Bildern. Sehnsucht nach dem Leben voller Wunder. Nach Feierabend Wüstenstein-Süd, langweiliges Nest hinter sieben Bergen. Ohne Zwerge. Ohne böse Stiefmutter. Ab und zu eine Stiefmutter-Anwärterin. Von Zauber keine Spur. Das Märchen als Tagtraum. Im Märchen, da geschieht etwas …
»Nun ist auch in Wüstenstein etwas geschehen.«
Seine Sachlichkeit hat etwas von einer kalten Dusche an sich. Ja, es war etwas geschehen, und ich zog es vor, keinen Kommentar dazu zu geben.
»Wann erfuhren Sie von dem Verhältnis Ihres Mannes zu Fräulein Wöhler?«
Als ich in der Redaktion anrief. Musikverlag. Zeitschrift Das Notenkarussell. Nie habe ich eine Überstunde angezweifelt. An jenem Tag brauchte ich einen Rat von ihm. Er war nicht da. Seine Sekretärin spielte Schicksal. Einmal müsste ich es doch erfahren, was die Spatzen, die berühmten, längst von den Dächern pfiffen. Mein Mann hat eine Geliebte.
Wir sind gesinnt, beieinander zu stahn …
An diesem Abend sei er mit ihr zu einer Geburtstagsfeier gegangen. Mozartgasse acht.
Ein Mädchen kann auf dem Schoß eines Mannes sitzen, und es bedeutet nichts. Sie saß nicht auf seinem Schoß, sondern neben ihm, den Kopf an seine Schulter gelehnt, gelöst,

glücklich. Er hatte den Arm um sie gelegt. In seinen Augen lag viel Zärtlichkeit.

In mir schrie es: Verrat! Verrat!

Betrübnis und Pein, soll unsrer Liebe Verknotigung sein …

Er hat mich um Vergebung angefleht. Auf den Knien, weinend, den Kopf in meinem Schoß vergraben, doch ich habe nur gespürt, wie diese Lippen in dem Schoß dieses Mädchens gewesen sind. –

Der Oberleutnant wollte wissen, ob ich ihm verzeihen werde. Ich kann verzeihen, aber nicht vergessen.

»Hatte Ihr Mann nach jener Geburtstagsfeier noch Verbindung zu Fräulein Wöhler?«

Das spielt für mich keine Rolle mehr.

Mein Licht, meine Sonn, mein Leben schließt sich um deines herum …

Ich bin gewohnt, in der Ehe zu sein. Kann ich allein weiterleben? Kann er es?

Ich fühle mich leer. Und müde. – Um ein Alibi hätte ich mich wirklich bemühen sollen.

In der Redaktion des Notenkarussells stand die Tür zum Sekretariat einladend offen. Simosch betrat den Raum, der klein war, ordentlich und schmucklos. Kein Bild, keine Grünpflanze. Der Veranstaltungsplan des Musiktheaters, mit zwei Reißzwecken an der Wand befestigt, war das einzige Attribut, das den Charakter des Verlages andeutete. Die Tür zum Chefzimmer stand einen Spalt breit offen, und der Oberleutnant hörte eine weibliche Stimme sehr entschieden versichern, sie gehöre nicht zu denjenigen, die hinter dem Rücken einer Unglücklichen zischeln. Sie sei für Offenheit, und sie wolle denjenigen sehen, der ihr das zum Vorwurf mache.

»Bestellen Sie sich auf meine Kosten eine Theaterkarte für Ibsens Wildente«, erwiderte eine Männerstimme. »Da können Sie sehen, wonach es Sie verlangt. Ob Sie begreifen, erscheint mir allerdings fraglich. – Die nächsten beiden Stunden bin ich für niemanden zu sprechen.«
»Außer für die Kriminalpolizei«, sagte Simosch, klopfte, während er sprach, kurz gegen die Tür und trat ein.
Die Sekretärin, nicht älter als dreißig, ging an Simosch vorbei und zog die Tür hinter sich ins Schloss. Der Chefredakteur bot Simosch einen Stuhl an. Sein Stirnrunzeln deutete noch immer auf Übellaunigkeit hin.
»Wohl wegen Kollegen Schubert?«
»Und Fräulein Wöhler«, ergänzte Simosch.
»Wäre alles im Sande verlaufen ohne diesen Wahrheitsapostel!« Sein wütender Blick schlug gegen die Vorzimmertür. »Also, was kann ich tun für Sie – oder für meinen Redakteur.«
»Erzählen Sie mir von ihm.«
»Er ist begabt, arbeitsam, zuverlässig. In das Privatleben meiner Mitarbeiter pflege ich mich nicht einzumischen. Abgesehen davon, war das bei ihm auch nicht nötig.«
»War er verändert, seit er das Mädchen kannte?«
»Er war begabt, arbeitsam und zuverlässig wie immer, und ich habe nichts von einem Mädchen gewusst, bis mich meine Sekretärin aufgeklärt hat – Sie glauben doch nicht, dass er die Wöhler umgebracht hat?«
Die Frage ließ der Oberleutnant unbeantwortet. Er wollte Horst Schubert sprechen.
»Da müssen Sie sich nach Budapest bemühen. – Stimmt es, dass man das Mädchen im Wüstensteiner Wald gefunden hat? Gestern Morgen?«
»Das stimmt.«

»Kollege Schubert ist mit dem Morgenzug um sechs Uhr dreißig nach Berlin gefahren und hat dort mit Mühe das Flugzeug nach Budapest erwischt. Nach seiner Ankunft dort haben wir miteinander telefoniert. Wie Sie sehen, hatte er keine Zeit, das Mädchen umzubringen.«
Der Oberleutnant ließ sich noch Tagungsort und -dauer der Konferenz nennen, an der Horst Schubert teilnahm, bedankte sich und verließ das Notenkarussell. Bevor er die Dienststelle in Markhausen aufsuchte, wo er mit seinen Mitarbeitern den Obduktionsbefund, Tatortbericht und Ermittlungsergebnisse des vergangenen Tages auswerten wollte, fragte er sich zur Mozartgasse acht durch. Das Haus, in dem Frau Schubert ihren Mann mit seiner Geliebten überrascht hatte, wurde von zwei Familien bewohnt. Dem Namensschild nach lebten Balmers im Erdgeschoss.
Auf Simoschs Klingeln öffnete eine Frau mit hellgrauen Augen und fahlem lockigem Haar. Beides hat sie ihrem Sohn vererbt, registrierte der Oberleutnant.
»Ihr Glück, dass ich heute Haushaltstag genommen habe. Mein Mann, seit acht Wochen Rentner, ist zwar zu Hause, aber er hört kein Klingeln mehr.«
In der Küche roch es nach Rosenkohl.
Simosch schnüffelte, hätte die Unterhaltung am liebsten in der Küche geführt, doch Frau Balmer öffnete ihm die Wohnzimmertür.
»Vater, hier ist ein Oberleutnant von der Kriminalpolizei.«
Sie sprach sehr laut. Herr Balmer hielt den Kopf ein wenig schief, das Ohr seiner Frau zugewandt.
»Ihr Sohn Benjamin …«
»Nein, nicht schon wieder!«, rief die Frau.
»Geh in die Küche …«

»Ich möchte Sie beide sprechen«, entschied Simosch. »War Ihr Sohn vorgestern Nacht zu Hause?«
»Ja«, sagte der Mann, und gleichzeitig schüttelte Frau Balmer den Kopf.
»Er ist nach der Arbeit zu Petra gefahren.«
»Ach so? Dann verwechsele ich das mit gestern«, sagte Balmer.
Simosch dachte, es hätte genügt, nur mit der Frau zu sprechen, aber so was weiß man immer erst hinterher.
»Gestern«, sagte er, »habe ich Ihren Sohn auf Gasthausstühle gebettet. In der Bärenschänke. Sein Rausch war enorm.«
Herr Balmer hatte eine Hand hinters Ohr gelegt und den Kopf Simosch entgegengestreckt.
»Er ist aber kein Trinker«, sagte er, als Simosch schwieg.
Die Frau wollte wissen, was er wieder angestellt habe.
»Du redest von Beni, als ob er dauernd was anstellen würde«, meinte der Mann ärgerlich, nahm die Hand vom Ohr und setzte sich betont aufrecht hin.
»Er stellt nicht dauernd was an, aber die Polizei kommt dauernd her, Vater, und tut, als ob's immer unser Sohn gewesen sein müsste, wenn irgendwo was los ist.«
Balmer nickte heftig.
»Er hat seine Strafe verbüßt, und man muss ihn nun mal in Ruhe lassen.«
»Wofür ist er denn bestraft worden?«
»Das wissen Sie nicht?« Sie blickte argwöhnisch.
»Ich bin Leiter einer Sonderkommission. Also, was hatte Ihr Sohn angestellt?«
»Er wollte sich ein Moped zusammenbasteln. Dafür hat er ein fremdes auseinandergenommen.«
Der Mann schloss die Augen und nickte einen wortlosen Kommentar zu dieser Erklärung.

»War Benjamin mit Janina Wöhler bekannt?«
Die Frage kam ihnen zu unerwartet, als dass sie hätten sofort antworten können.
»Wöhler?«, wiederholte der Mann nach einer Weile und vergrößerte wiederum die Ohrmuschel durch seinen gekrümmten Handteller. »Sagen Sie Wöhler?«
Der Oberleutnant war sicher, dass Herr Balmer ihn sehr gut verstanden hatte und schwieg.
»Die Leute erzählen, Wöhlers Tochter sei gestern früh erschlagen worden. Im Wald.« Frau Balmer lauerte auf Simoschs Reaktion. Da sie ausblieb, fragte sie mit verkniffenen Lippen: »Und deshalb kommen Sie zu uns?«
»Sie haben meine Frage nicht beantwortet«, sagte Simosch.
»Beni kennt den Hermann Wöhler«, antwortete sie. »Die beiden waren befreundet, ehe die Sache mit dem Moped passierte.«
»Wöhler könnte dem Alter nach Benis Vater sein. Wieso war er mit ihm befreundet?«
»Der lag damals im Krankenhaus, und Benis Brigade baute das neue Gebäude. Da haben sie sich kennengelernt. Wöhler war Kraftfahrer, und unser Sohn hatte gerade seinen Fahrzeugtick. Hat mit dem Nachbarjungen immerzu an Motorrädern rumgebastelt, und als Wöhler aus dem Krankenhaus entlassen wurde, hat er ihn manchmal in der Fahrbereitschaft besucht.«
Vater Balmer schaute zum Fenster hin, beobachtete den Schnee, der jetzt großflockig und dicht vom Himmel fiel. Der Oberleutnant schien ihn ebenso wenig zu interessieren wie das Gespräch, das seine Frau mit ihm führte.
»Demnach ist Ihr Sohn damals auch mit Wöhlers Tochter bekannt geworden«, stellte Simosch fest.

»Und was hat das zu besagen? Er hatte damals schon die Petra. Und seit er wieder zu Hause ist, will Wöhler sowieso nichts mehr von ihm wissen. Der hat sich höher entwickelt, der ist jetzt Einsatzleiter vom Fuhrpark der LPG und hält auf guten Ruf. Also ist da nichts mehr mit Freundschaft.«

»Und Janina? Verhielt sie sich Benjamin gegenüber auch abweisend?«

»Hören Sie, ich kenne das Mädel nur vom Sehen. – Beni sagt, sie wäre anders als ihr Vater. Mehr weiß ich nicht.«

»Waren Sie zugegen, als Frau Schubert in diesem Haus ihren Ehemann mit Fräulein Wöhler überraschte?«

»Die jungen Leute haben in Benis Zimmer gefeiert. Mein Mann und ich sind hiergeblieben. Nein, ich habe von diesem Auftritt nichts mitbekommen.«

»Möchte Ihr Sohn Petra Kuhnert heiraten?«

»Beni wollte das schon damals, als das Kind kam, aber Petra hat es immer wieder hinausgezögert. Dann musste er ins Gefängnis …«

Was man nicht alles erfährt, wonach man nicht gefragt hat. Sie haben also ein Kind, Beni Balmer und die Kellnerin. Trotzdem will sie ihn nicht heiraten. Er war mit Hermann Wöhler befreundet und dessen Tochter Janina mit Petra. Also hat er Janina besser gekannt, als seine Mutter weiß oder zugeben will.

Und gestern Abend, im Rausch, war er bereit, mir den Schädel einzuschlagen, wenn ich Schlechtes denke von der kleinen Wöhler. Noch weiß ich nicht, worauf das alles hinauswill, aber bemerkenswert erscheint es mir.

»Sie haben Ihren Sohn also seit zwei Tagen und Nächten nicht gesehen. Wenn er kommt, möchte er sich bei der hiesigen Polizeidienststelle melden. Die wissen, wo ich zu erreichen bin. Ich habe ein paar Fragen an ihn. Vielleicht erwische ich ihn auch in Wüstenstein. Dann ist die Sache erledigt.«

»Beni ist manchmal ziemlich deprimiert«, sagte die Mutter. »Ein Glück, dass er die Petra hat. – Vielleicht will die ihn nicht heiraten, solange ihm die Polizei immer wieder ins Haus schneit.«

Simosch verabschiedete sich. Der alte Balmer nahm den Blick vom Fenster und sah den Oberleutnant an.

»Wir sind alle krummes Holz«, sagte er.

5

Der Obduktionsbefund brachte keinerlei Überraschungen. Weder Schwangerschaft noch Krankheit. Die Todesursache war, wie auf dem ersten Blick ersichtlich, der Stich mit Wöhlers Fahrtenmesser in die Halsschlagader gewesen. Neuigkeiten dagegen enthielt der Bericht über den Fundort der Leiche, der, wie inzwischen kriminaltechnisch erwiesen, auch der Ort der mörderischen Tat gewesen war.
Zirka fünfzig Meter entfernt von der Stelle, an der Janina verblutet war, hatte man auf Grund von Wachtmeister Albrechts Hinweisen einen Unterschlupf entdeckt; eine Bodensenke im Wald, umstanden von Nadelbäumen, die jemand geschickt in ein Tarnsystem einbezogen hatte. Sie stützten, verbunden mit abgebrochenem starkem Geäst, ein Reisigdach. Der Eingang des Verstecks war von Ginster verdeckt. Möglicherweise hatte hier der Mörder einen Teil der Nacht verbracht und auf das Mädchen gewartet. Eine leere Milchflasche, auf der sich keine Fingerabdrücke feststellen ließen, und einige Krumen Brot sprachen ebenso dafür wie frisch geknickte Zweige des Ginsterstrauches. Mehr noch als diese Fakten beschäftigte den Oberleutnant, dass in diesem Schlupfloch Teile von Kraftfahrzeugen gelegen hatten. Diebesgut.
Oberleutnant Simosch beauftragte einen Kriminalisten seiner Sonderkommission, die Akte Benjamin Balmer anzufordern. Eigentumsdelikt. Diebstahl von Mopeds beziehungsweise Mopedteilen. Wer sich vor Jahren darauf spezialisiert hatte, konnte jetzt zu Diebstählen von Motorrad- und PKW-Teilen übergegangen sein. Die Katze lässt das Mausen nicht.

Simosch war gewillt, die Tauglichkeit dieses Sprichwortes im Falle Balmer zu überprüfen. Sollte Beni tatsächlich rückfällig geworden sein, würde er ihn der zuständigen Abteilung übergeben. Ihn interessierte nur die Nähe des Lagers von Diebesgut zum Tatort des Mordes.
In sein Notizbuch schrieb Simosch:
a) Der Dieb ist mit dem Mörder identisch, was mir ziemlich abwegig erscheint. In diesem »Gewerbe« bleibt zumeist jeder bei seinem Handwerk. Selbst wenn das Mädchen den Dieb mit Beute erwischt oder sein Schlupfloch entdeckt hätte, würde er es normalerweise vorziehen, als Dieb statt als Mörder bestraft zu werden. – Wann verläuft schon etwas normal?
b) Der Dieb ist mit dem Mörder identisch, aber das Mordmotiv hat nichts mit dem Diebstahl zu tun. Der Mörder nutzte nur sein Diebesversteck, um dem Mädchen aufzulauern.
c) Der Dieb ist nicht mit dem Mörder identisch, aber er hat von seinem Unterschlupf aus den Mörder gesehen oder irgendetwas bemerkt, was uns auf dessen Spur bringen kann.
Was der Oberleutnant während der Arbeitsbesprechung noch erfuhr, deckte sich mit den Auskünften, die er bislang erhalten hatte und passte in das Bild, das er sich nach seinen bisherigen Erlebnissen und Ermittlungen von dem Fall machen konnte. Doch es war noch immer ein verschwommenes Bild, den möglichen Mörder betreffend.
Wieder zog er sein Notizbuch, schrieb auf die eine Seite: verdächtige Personen, auf die andere: mögliches Motiv.
Frau Annegret Schubert – Janina hat ihre Ehe zerstört.
Simosch legte den Stift aus der Hand, sah sie wieder vor sich, die Frau, für die der Ehemann ein Teil ihrer selbst gewesen war. Ob Janina lebte oder nicht, spielte wohl für deren Zukunft keine große Rolle mehr. Ihr Problem war, dass sie

fünfzehn Jahre lang nicht mit Horst Schubert, sondern mit ihrer Vorstellung von ihm verheiratet gewesen war. Wenn er tot im Wald gelegen hätte … Immerhin hatte Janina ihr das Trugbild zerschlagen.
Frau Ruth Grammelein – war 1. mit Janina zerstritten und hat deswegen Wöhlers Haus verlassen. 2. hat sich Janina mit dem Freund ihrer Tochter eingelassen.
Fräulein Beate Grammelein – Janina hat ihren Freund verführt.
Sieh an! Die Hauptverdächtigen drei Frauen, dachte Simosch. Und wie passt das zu der Art des Mordes? Getötet durch einen Stich in die Halsschlagader. Es heißt, Frauen morden mit Gift. Die Geschichte der Kriminalfälle nennt viele Beispiele dafür. – Die Zeiten ändern sich.
Am meisten belastet erschien ihm Ruth Grammelein. Wie konnte er erfahren, was wirklich zwischen ihr und Janina vorgefallen war? Sie selbst würde nicht mehr zugeben, als sie ihm schon eingestanden hatte. Vielleicht wusste Hermann Wöhler etwas? Er wollte ihm noch ein paar Tage Zeit lassen, um über den ersten Schmerz hinwegzukommen, dann musste er ihn ohnehin befragen. Und Frau Grammeleins Tochter vernehmen! Möglich war auch, dass Janina ihrer Freundin Petra Kuhnert etwas über ihr Verhältnis zu Ruth Grammelein anvertraut hatte. Ihm hatte die Grammelein jedenfalls verschwiegen, dass sie dem Mädchen an dem Morgen, als es getötet wurde, begegnet war. Sie musste ihm begegnet sein! Oder das Fahrrad auf dem Weg gesehen haben. Nein, es stand wahrhaftig nicht gut um Hermann Wöhlers jüngst verflossene Freundin.
Was aber war mit den Männern, die zu Janina in Beziehung gestanden hatten? Für Simosch erschienen nur zwei interes-

sant: Horst Schubert und Lukas Weitling. Ihr Verhältnis zu Janina hatte anderweitige Bindungen zerstört. Zumindest belastet.

Er vermerkte in seinem Notizbuch:

Zu überprüfen und zu befragen im Zusammenhang mit dem Mord an Janina W. sind: Petra Kuhnert: Was weiß sie über Beziehung Janina–Grammelein?

Lukas Weitling: Hat ihm Janina etwas anvertraut, das uns auf eine Spur bringen kann? Woher weiß Beate Grammelein von dem Seitensprung mit Janina? Wie hat sie reagiert? Weiß er, wo sie sich zur Zeit des Mordes aufgehalten hat? Wie stand er selbst zu Janina? Wollte er die Beziehung zu ihr fortsetzen?

Horst Schubert: Weiß er etwas über Janina, das uns weiterbringt? Wie schätzt er das Verhalten seiner Frau ein?

Benjamin Balmer: Sein Verhältnis zu Janina klären. Bisherige Auskünfte von Freundin und Mutter zu verschwommen. Hat er nach seiner Haftentlassung das Waldversteck wieder aufgesucht? Hat er dort Diebesgut vorgefunden? Ist er selbst wieder straffällig geworden und hat gestohlene Autoteile im Wald versteckt? Hat Janina ihn überrascht?

Hermann Wöhler: alles erfragen, was er über Umgang und Gewohnheiten seiner Tochter weiß. Welche Probleme gab es zwischen seinen Freundinnen und seiner Tochter, speziell zwischen ihr und Ruth Grammelein?

Der Oberleutnant klappte sein Notizbuch zu. Er war sicher, dass weitere, ihm bisher unbekannte Personen im Mordfall Janina Wöhler nicht auftauchen würden. Er stimmte mit Wachtmeister Albrechts Ansicht überein, der Täter lebe in Janinas Nähe.

Gewiss war Simosch ihm schon begegnet. Er brauchte ihn nur noch zu erkennen.

Der Nachmittag verging mit Arbeitsgesprächen und Auswertungen von Ermittlungen. Am folgenden Morgen aber setzte sich der Oberleutnant in seinen Dienstwagen und fuhr nach Wüstenstein. Es war ein klarer, kalter Wintermorgen, blauschwarze Helle über waldigen Hügeln. Hier und da Lichter in einem Dorf, das am Wege lag. Dann Wald und Stille. Kurz vor Wüstenstein wurde das Blauschwarz sanfter, das Hell kräftig. Mit dem ersten Sonnenstrahl, der seit Tagen durch die Wolken brach, traf Simosch im Ort ein.
In der Bärenschänke verstaute er mitgebrachten Proviant in seinem Zimmer. Wer weiß, wann er wieder Zeit zum Einkaufen fand und ein Geschäft, das eben dann geöffnet hatte. Den Morgenkaffee, den er bestellte, brachte der Wirt.
»Ich hatte auf weibliche Bedienung gehofft«, sagte Simosch augenzwinkernd.
»Meine Frau ist erkältet, und Petra kommt erst zu Mittag.«
Simosch ließ sich die Adresse der Kellnerin geben.
»Wann ist denn Beni gestern aufgewacht?«
»Hab'n rütteln müssen, eh die ersten Gäste gekommen sind«, sagte der Wirt. »Dann isser Richtung Petra gegangen.«
Nach dem Frühstück zog Simosch einen flauschigen Rollkragenpullover über, tauschte den Wintermantel gegen einen Anorak mit Kapuze und trat vor die Schänke. Heftiger, kalter Wind war aufgekommen, trieb Schnee vor sich her und wirbelte den am Vortag gefallenen auf. Simosch schützte mit beiden Händen die Augen vor dem Flockenwirbel, er konnte trotzdem kaum drei Meter weit sehen.
Neben ihm sagte eine Stimme: »Guten Morgen, Genosse Oberleutnant.«
»Guten Morgen. Sie kommen mir wie gerufen!«
»Das ist so meine Art.«

»Gehen wir los. Ich muss zu Petra Kuhnert. Und später irgendwie nach Wüstenstein-Süd. Mit dem Wagen scheint das heute aussichtslos zu sein.«

»Es ist aussichtslos«, bestätigte Wachtmeister Albrecht nachdrücklich. »Auf dem Weg türmen sich jetzt schon die Schneewehen, und der Wind wird sich bald zu einem bemerkenswerten Schneesturm auswachsen.«

»Laufen?«, fragte Simosch skeptisch.

»Skilaufen!«

»Hm. Soll ja so sein wie mit dem Radfahren: einmal gelernt, immer gekonnt. Haben Sie Skier für mich?«

»Klar. Und ich begleite Sie. Wann geht's los?«

»Frühestens in einer halben, spätestens in einer Stunde. – Überlegen Sie inzwischen mal, wer hier das Zeug dazu hat, fremde Autos auseinanderzunehmen und seine Beute als Ersatzteile zu veräußern. Übrigens hat Ihr Tipp was gebracht. Drüben im Wald, in der Nähe des Tatortes, ist ein Lager mit Diebesgut entdeckt worden.«

»Guck an«, sagte Albrecht lächelnd, und pfeifend stapfte er die Dorfstraße zurück.

Das Kuhnertsche Heim war ein Haus ohne Vorgarten. Zur Eingangstür führten vier Stufen hoch. Petra Kuhnert empfing den Oberleutnant mit einem dreijährigen Jungen auf dem Arm – graue Augen, fahles, lockiges Haar. Die Balmerschen Erbteile sind zäh, stellte Simosch fest. Sie rief ihre Mutter, bat sie, auf das Kind zu achten, und führte Simosch ins Zimmer. Es war ein kombiniertes Wohn- und Schlafzimmer mit Doppelbettcouch, alten, sicherlich von den Großeltern geerbten Möbeln. Neben einer ein Meter hohen Pyramide standen Nussknacker und Räuchermännchen auf einem Bord.

»Da gäbe mancher was drum«, sagte Simosch.
»Mein Vater hat geschnitzt. Mein Bruder in Krummbach tut es jetzt noch.«
»Wo ist Ihr Freund?«, fragte Simosch unvermittelt.
»Arbeiten. Er hat Spätschicht.«
»Genügt es da nicht, wenn er mit dem Mittagsbus fährt?«
»Er wollte noch zu seinen Eltern.«
»Ich war gestern dort. Ist Beni auch gestern zur Arbeit gegangen?«
Sie ließ sich mit der Antwort Zeit. Schließlich sagte sie: »Sie halten ihn doch nicht etwa für einen Bummelanten? Das ist er noch nie gewesen. Ja, er war auch gestern arbeiten!«
»Also kein Bummelant und auch kein Trinker, wie mir der Wirt versicherte.«
Ihr Nicken glich einer Aufforderung weiterzusprechen. Sie war auch zu Hause dezent zurechtgemacht: Nagellack, Lippenrot. Die Spange fehlte. Ihr Haar hüllte sie ein wie ein schwarzes Seidentuch.
»Bis auf die Sache, die Ihr Freund gebüßt hat, hört sich alles ganz gut an, was man über ihn erfährt. Trotzdem wollen Sie ihn nicht heiraten. Also, was stimmt nicht mit ihm?«
»Jetzt fragen Sie wie meine Mutter und die Leute im Dorf, als sie bemerkten, dass ich schwanger war.«
Leise Ironie schwang in ihrer Stimme. Ihr Blick suchte Simoschs Augen.
»Und was haben Sie geantwortet?«
»Dass ich Beni noch zu wenig kenne.«
Simosch zog die Stirn in Falten.
»Dieses Stirnrunzeln kenne ich.« Jetzt schien sie enttäuscht. »Ich habe angenommen, Sie würden verstehen.«
»Was?«, fragte Simosch.

»Nur unsere Körper haben sich gekannt. Das ist mir zu wenig, um miteinander zu leben.«

»Eine Einstellung, die ich manchen Partnern wünsche«, erwiderte Simosch. »Doch seitdem ist viel Zeit vergangen, selbst wenn man achtzehn Monate Haft ausklammert.«

»Auch meine Mutter drängt mich mit dem Argument: du kennst ihn lange genug. – Aber kenne ich ihn gut genug? Das zu schaffen ist für mich keine Frage der Zeit.«

»Sondern?«, fragte Simosch, als sie schwieg.

»Meiner Fähigkeiten, einen Menschen zu durchschauen. Ich möchte Beni nicht falsch beurteilen und dadurch mir weh und ihm unrecht tun. Ich möchte genau wissen, zu wem ich ja sage. – Ich gehöre zu denen, die nur einmal heiraten.«

»Wodurch haben Sie gemerkt, dass Sie Ihren Freund noch nicht genügend einschätzen können? Es muss dafür konkrete Anlässe gegeben haben.«

Sie überlegte. Simosch ließ ihr Zeit.

»Sie – sind nach Wüstenstein gekommen, um herauszufinden, wer Janina Wöhler umgebracht hat, und interessieren sich für Beni und für mich …«

»Für jeden, der Janina gekannt hat. Konstruieren Sie keine Zusammenhänge. Bitte, was hat Sie bewogen, Ihr Verhältnis zu Beni immer wieder zu überprüfen?«

»Wir waren sehr verliebt ineinander, und – eines Tages merkte ich, dass ich ein Kind bekommen würde. Das war für mich eine Situation, mit der ich nicht gerechnet hatte und die mich verunsicherte. Auch Beni gegenüber. Ich wollte es ihm nicht sagen, bevor ich nicht mit mir selbst im Reinen war.«

»Aber Sie haben es ihm gesagt?«, fragte Simosch, als sie schwieg.

»Nein. Meine Mutter merkte, dass ich ganz verändert war. Da

hab ich's ihr erzählt. Alles. Dass ich ein Kind bekomme und es nicht fertigbringe, mit Beni darüber zu sprechen. Obwohl ich ihn sehr lieb habe. Dabei hatte ich immerzu Angst, meine Mutter habe moralische Bedenken und würde mir Vorwürfe machen. Auch wegen dem Gerede, das es im Dorf geben würde. Bei uns heißt's, nichts ist schlimmer, als wenn Kinder Kinder kriegen. Aber Mutter hielt zu mir und meinte, das Beste sei, Beni eine Weile nicht zu sehen.«

»Und?«

»Mutter hat mit ihm gesprochen. – Er ist ausgeflippt.«

»Was hat er getan?«

»Getobt hat er und geschrien, so lässt er nicht mit sich umgehen. Ich soll rauskommen und es ihm ins Gesicht sagen, dass ich schwanger bin. Ich hab mich im Zimmer eingeschlossen. Beni ist zur Bärenschänke. Hat getrunken. – Am nächsten Morgen fand ich unsere Katze vor der Haustür liegen. Tot.«

»Sie sind sicher, dass es Beni war?«

Sie nickte.

»Jetzt weiß ich immerhin von ihm, dass er sehr verletzlich ist. Nichts kränkt ihn so sehr, als wenn ihn jemand links liegen lässt. Manchmal ist er schon gekränkt, weil unser Kleiner in seiner Gegenwart nur mit mir schmust.«

»Diese Eigenschaft oder, sagen wir, diesen Schwachpunkt haben Sie durchschaut, und Sie verstehen, sich entsprechend zu verhalten. Es kann nicht das Einzige sein, was Sie davon abhält, ihn zu heiraten.«

»Unser Sohn war ein Jahr alt, als Beni verhaftet wurde. Wegen Motorrad- und Mopeddiebstählen. Für mich war das ein Blitz aus heiterem Himmel. Beni ist arbeitsam, gutmütig, hilfsbereit und auf angenehme Art genügsam. Wir schaffen an, was nötig ist, aber wir raffen nicht. Er hat nie gesagt, dass er scharf auf ein Motorrad oder Moped wäre. – Aber er hat welche gestohlen.«

»Haben Sie ihn gefragt, warum er es getan hat?«

»Wenn ich es versuche, wird er sofort abweisend und schweigt.«

»Und mit Janina Wöhler, behaupten Sie, hat ihn nichts als Freundschaft verbunden?«

»In einem stimmen wir überein, Beni und ich – uns verlangt es nicht nach anderen Partnern. Außerdem, wann hätte er mit Janina ein Verhältnis haben sollen? Vor seiner Haft? Das hätte ich gespürt. Außerdem hätte Janina mir das inzwischen anvertraut. Beni hat ein und ein halbes Jahr gesessen und ist erst vor sechs Wochen entlassen worden. Seitdem wohnt er mehr bei mir als in Markhausen. Und wenn er im Hause seiner Eltern schläft, nimmt er ganz gewiss kein anderes Mädchen mit. Außerdem, Janina hatte zwar ein Verhältnis nach dem anderen, aber nie mehrere zugleich. In den letzten Wochen war sie mit Horst Schubert zusammen, und danach hat sie sich um Lukas bemüht.«

»Zwischen Janina Wöhler und Ihnen besteht nicht nur ein Alters-, sondern auch ein beträchtlicher Wesensunterschied. Wieso ist ausgerechnet sie Ihre Freundin gewesen?«

Schulterzucken.

»Unsere Freundschaft begann, als man über mich klatschte, weil ich schwanger war und nicht heiraten wollte. Janina sagte: ›Mach dir bloß nichts daraus. Sie sind einfach langweilig.‹ Von da an kam sie hin und wieder in die Schänke, bevor sie vom Bus auf ihr Rad oder die Skier umgestiegen ist. Während Benis Haftzeit hat sie mich auch zu Hause besucht. Sie haben recht, ich lebe nach anderen Gesetzen als Janina, ich kann nicht so sein wie sie. Trotzdem mag ich sie. Vielleicht, weil sie auf ihre Weise unkompliziert und ehrlich war und für ihre Art zu leben einstehen musste – so wie ich für meine.« Mit einem Blick auf Simosch fügte sie hinzu: »Vielleicht auch nur, weil sie nie an Beni drangewesen ist.«

»Wie stand Janina eigentlich zu den Freundinnen ihres Vaters?«

»Gut. Solange sie ihm lieb waren.«

Sie lachte, weil Simosch nicht begriff.

»Wenn ihr Vater eine Frau überhatte, aus welchem Grund auch immer, hat Janina mit ihr einen Streit vom Zaun gebrochen und sie aus dem Haus geekelt.«

»Was?«

»Sie sagte: Papa ist nicht sehr geschickt, eine Frau aufzugabeln, aber er ist absolut hilflos, wenn er sie wieder loswerden will. Ich muss ihn da einfach aus der Patsche ziehen.«

»Unglaublich.« Simosch war ehrlich verblüfft. »So einfach ist das gewesen?«

»Für Janina war alles einfach. Wir wussten beide, dass die Frauen selbst und die Leute im Dorf glaubten, Janina mochte sie nicht und ihr Vater wolle sich nicht gegen sie stellen. So haben sie sich noch ein paar Illusionen über Wöhlers Gefühle für sie erhalten.«

»Ist das auch mit Frau Grammelein so geschehen?«

»Im Grunde schon. Nur, da kam hinzu, dass Janina sie wirklich nicht mochte. Sie hat uns gesagt: Der gebe ich den Abschied besonders gern. Die ist mir dumm gekommen.«

»Was halten Sie von Beate Grammelein?«

»Sie kommt vielleicht im Jahr zweimal in die Bärenschänke. Ich weiß nur, dass sie seit einiger Zeit mit Lukas Weitling zusammenlebt. Der ist auch kein Kneipengänger und zählt nicht zu meinem Bekanntenkreis.«

»Von jedem, der mit Janina in Beziehung stand, brauche ich ein Alibi. Wo war Beni an jenem Morgen, als Janina umgebracht wurde, und wo sind Sie gewesen?«
»Hier im Haus. Meine Mutter kann es bezeugen. Der Junge hatte abends Fieber und hat nachts gehustet. Ich musste oft nach ihm sehen.«
»Ich möchte Ihren Freund noch sprechen. Wo wird er heute Abend sein?«
»Bei mir«, sagte Petra Kuhnert.

Der Oberleutnant hatte seit Jahren nicht auf Skiern gestanden. Auf der Straße lag gerade so viel Schnee, dass man die tückischen, vereisten Stellen nicht bemerkte und das Skilaufen, ebenso wie das Laufen, zu einer gefährlichen Sache wurde. Wachtmeister Albrecht vertröstete auf den Waldweg, doch bis dahin mussten sie noch die Dorfstraße entlang, an Kirche und Friedhof vorbei und ein Stück übers Feld. Der Wachtmeister ließ Simosch das Tempo bestimmen.
»Übrigens«, sagte er, »kann ich Ihnen aus Wüstenstein niemanden nennen, der mit Kfz-Diebstählen in Verbindung zu bringen wäre. Vor einem halben Jahr fanden zwei Bengels Spaß daran, Motorräder unbefugt zu benutzen. Sie haben Bewährung und bewähren sich recht gut. – He! Das ist kein Grund, nach mir zu treten!«
Simosch schlingerte, sein rechter Ski streifte Albrechts Knöchel.
»’tschuldigung. Ich hätte einen Kursus in Eistanz absolvieren sollen.«
»Dann wäre da noch der Geiger«, erzählte Albrecht weiter, »ein schmächtiges, musikalisches Kerlchen mit dem Zeug

zum Kleptomanen. Er räumt Briefkästen aus, lässt Bücher aus der Bibliothek und Noten aus der Musikschule mitgehen. Vielleicht kann er ein Moped von einem PKW unterscheiden, aber davon was abmontieren – ich wette, da ist er überfordert.«

»Das Ersatzteillager im Wald«, sagte Simosch, »ist von einem angelegt worden, der was von diesen Dingen versteht und genau wusste, was er wollte. Vier Räder vom Trabant, die Radkappen dick eingefettet, jedes Rad in Papier und in eine Wachstuchdecke gepackt, das Ganze mit Säcken abgedeckt. Ein Schalldämpfer für den Auspuff, ebenfalls mit Fett eingeschmiert, war in Ölpapier und eine Beifahrertür in eine Pferdedecke gewickelt.«

»Und das in Beni Balmers ehemaligem Versteck! Ich kann mir nicht denken, dass Beni schon wieder Automarder spielt. Seit sechs Wochen aus der Haft entlassen und gleich wieder ran ans Werk? Ich habe den Eindruck, der ist froh, wieder bei der Petra zu sein. Oder was meinen Sie?«

»Ich werde das Bild nicht los, wie Lukas Weitling über den Waldweg rannte. Am Abend nach dem Mord an der kleinen Wöhler. Und von Kraftfahrzeugen versteht er doch auch was. Wann hat er eigentlich bei Hermann Wöhler in der Fahrbereitschaft gekündigt?«

»Vor zwei Wochen ungefähr.«

»Wir werden heute bei Weitlings eine Menge Gesprächsstoff …« Simosch unterbrach sich, stützte sich mit dem Skistock ab und hielt sich mit der Rechten am Lattenzaun fest. »Was ist denn das?«

Sie waren hinter der Kirche am Friedhof angekommen. Zwischen der letzten Gräberreihe, windgeschützt, züngelten Flammen. Plötzlich flog Erde hoch.

»He!«, rief Simosch. »Hallo!«
Scheppernd fiel ein Spaten auf den Boden. Ein Kopf, kräftig, mit dunkelbraunem, kurz geschnittenem Haar, fuhr in die Höhe.
»Stets zu Diensten«, rief Lukas Weitling.
Sie schnallten die Bretter ab. Der Wind, der nur noch wenig Schnee vor sich hertrieb, pfiff über die Gräber hin. In die letzte Reihe, dort wo Lukas Weitling auf die Polizisten wartete, verirrte sich nur ab und zu eine Bö, der Bäume und Sträucher die Kraft genommen hatten.
»Was tun Sie denn hier?«, fragte Simosch.
»Arbeiten.«
Er goss ein wenig Petroleum auf die Erde, zündete es an, wartete ein Weilchen und stieß dann den Spaten in die aufgetaute Erde. Sie sahen ihm zu wie bei einer feierlichen Handlung.
»Für Janina?«
»Hellseher!«
»Heute spielen wir nicht Waldschrat und Hellseher«, verwies ihn Simosch. »Ich komme dienstlich.« Er zog seinen Ausweis. »Oberleutnant Simosch. Wo können wir miteinander sprechen?«
Lukas Weitling stach den Spaten in die Erde.
»Gehen wir ins stille Kämmerlein.«
Er nickte zum Leichenschauhaus hinüber. Sie nahmen ihre Skier auf und gingen los, vorbei an einer offenen, fertig ausgehobenen Grabstelle.
»Und die?«, fragte der Wachtmeister.
»Bezieht der alte Reinold.«
Reinold, der Schuhmachermeister, gestorben am Schlaganfall. Die Wüstensteiner mussten nun bis Markhausen zur

PGH, wenn die Absätze schief gelaufen waren. Im Schauhaus lag der Schuhmacher aufgebahrt in Weiß und Tannengrün, zu seinen Füßen ein Sträußchen Alpenveilchen.
»Er hat sich verbeten, in Plastkränzen und Kunstblumen erstickt zu werden«, erklärte Lukas und trat dicht an das gelbgraue, runzlige Gesicht heran. »Wir kommen nicht zu dir, Alter. Die Polizei will mich hier drinnen ein bisschen vernehmen, weil's ihnen draußen zu wettrig ist. Ich vergattere dich hiermit, dem lieben Gott nicht alles brühwarm zu erzählen, was du zu hören kriegst.«
»Fertig mit der Show?«, fragte Simosch.
»Ja. Sie können jetzt Ihre abziehen.«
In jeder Hand einen der Stühle, die für die Trauernden während der Feierrede des Pfarrers gedacht waren, trat Lukas Weitling zu den Polizisten. Er erschien Simosch heute, wo er aufrecht gehen konnte, größer als damals im Wald. In dem herben Gesicht entdeckte er Züge trotzigen Selbstbewusstseins. Der Blick aus den dunklen, hübschen Augen schien spöttisch. Sie setzten sich so, dass jeder dem anderen ins Gesicht sehen konnte, wenn er wollte.
»Ihr Knöchel ist also wieder heil«, sagte Simosch.
»Ein Tag Hausarrest. Mehr war nicht drin.«
»Was hatten Sie an jenem Abend im Wald zu tun?«
»Muss man denn immer was zu tun haben? Ich bin gern im Wald, Tag, Nacht, Wind und Wetter spielen keine Rolle. Wenn mir's zu eng wird in der Stube, geh ich raus.« Ehe Simosch etwas entgegnen konnte, fügte er schnell hinzu: »Einem Stadtmenschen nehme ich's nicht übel, wenn er das nicht versteht.«
»Janina hat den Wald auch geliebt.«
Schweigen.

»Wie standen Sie zu ihr?«
»Ich habe mit ihr geschlafen – falls das eine Neuigkeit für Sie sein sollte.«
»Wie ist denn Ihre Freundin dahintergekommen?«
»Durch ihren siebten Sinn.«
»Hören Sie, Lukas, die Kriminalpolizei ist kein Publikum für Ihr Gewitzel.«
Der Junge verdrehte die Augen, als seien Leute wie Simosch eine unbeschreibliche Zumutung.
»Sie hat uns am Waldrand aufgelauert und Händchen haltend rauskommen sehen. Aber das hat sie mir erst zu Hause erzählt.«
»Und Sie haben Ihr Verhältnis zu Janina eingestanden.«
»Mir blieb nichts anderes übrig. Sie hat mich mit Fragen gepiesackt, bis es mir gereicht hat.«
»Wie hat sie reagiert?«
»Mann, was ist denn mit Ihnen los? Können Sie sich nicht vorstellen, wie 'ne Frau auf so was reagiert?«
»Beantworten Sie meine Frage.«
»Geheult hat sie.«
»Und Janina bedroht?«
»Ach, da liegt der Hund begraben! Beate ist nicht der Typ, der jemanden umbringt, wenn Sie das meinen. Die bedroht auch niemanden. Die heult und leidet, dass es einen Hund jammert.«
»Wie sollte das weitergehen mit Ihnen, Janina und Beate Grammelein?«
»Janina war ein Rübchen. Ein verdammtes, schniekes süßes Rübchen. Die wollte bloß mal probieren, ob sie mich rumkriegt. Gut, sie hat's geschafft. Wir hatten Spaß miteinander. Keiner hat ans ›Weitergehen‹ gedacht.«

»Wissen Sie, wo Ihre Freundin an dem Morgen gewesen ist, als Janina ermordet wurde?«
»Im Bett. In meinem Bett.«
»Kennen Sie jemanden, der Janina nicht mochte? Vor dem sie sich bedroht fühlte?«
Der Junge schüttelte den Kopf.
»So'n sorgloses Kerlchen wie Janina, die wäre nie auf die Idee gekommen, ihr könne jemand was antun.«
»Sie war etwas älter als Sie.«
»Nach Jahren gerechnet. Ansonsten mindestens fünf Jahre jünger als Beate.« Er lächelte spöttisch. »Ach, Verzeihung, das war wieder Gewitzel, mit dem die Polizei nichts anfangen kann.«
»Warum arbeiten Sie hier auf dem Friedhof?«
»Kommt meinem Beruf am nächsten. Bin Gärtner.« Ein Blick zur Decke. »Jetzt in höherem Auftrag.«
»Lukas«, sagte Wachtmeister Albrecht, »ich kenne dich noch als Hosenscheißer, du warst immer 'n fröhliches Kind. Jetzt wirkst du so verbittert. Warum? Dein Wunsch war, Gärtner zu werden. Ich hab deiner Mutter geholfen, eine Lehrstelle für dich zu finden. Aber du hast nicht ausgelernt. Bist davongelaufen. Zu Hermann Wöhler in die Fahrbereitschaft. Jetzt ist auch dort wieder Schluss.«
»Ja, ich wollt Gärtner werden! Hab schon schlaue Bücher über Pflanzen und Blumen gelesen und mich drauf gefreut, was man alles so großziehen kann. Aber sie wollten mich zum Aufpasser für Blumenkohl machen.«
»Wie bitte?«, fragte Simosch.
»Die Welt ist aufgeteilt in Ressorts für Fachidioten …«
»Erzählen Sie mal ganz sachlich über Ihre Arbeit in der Gärtnerei.«

»Ich musste in der Gemüseabteilung Blumenkohl pflanzen und großziehen und in der Abteilung für Blumen Chrysanthemen. Weil die Gärtnerei in ihrer Blumenabteilung auf Chrysanthemen spezialisiert war und in der Gemüseabteilung auf Blumenkohl. Der Ertrag war enorm. Die Chrysanthemen eine Pracht – aber manchmal habe ich eben auch von Margeriten und Dahlien und Löwenmaul geträumt!« Da Simosch einhaken wollte, sagte er: »Verdammt noch mal, wer soll denn das aushalten? Ein Leben lang Blumenkohl und Chrysanthemen! Wo's doch so viele andere Möglichkeiten gibt. Damals hatte ich 'ne Freundin in Vogelsgrün, die arbeitete dort in der Hühnerfarm und mästete Küken zu Broilern. Abends sah das dann bei uns so aus: Lukas, erzähl was von der Gärtnerei! – Blumenkohl, Chrysanthemen … Ach, lassen wir das. Wie war's bei dir? – Wie immer: Hühnchen mästen … Ich bin davongelaufen, weil ich sonst die Chrysanthemen an die Masthühner verfüttert hätte.«

»Ich könnte mir denken«, sagte der Wachtmeister, »dass es bei Hermann Wöhler abwechslungsreicher war.«

Der Junge lächelte.

»O ja! Abwechslungsreicher. – Und dich nennt man den flinken Albrecht!«

Der Wachtmeister sah Lukas in die Augen, aber der wich seinem Blick aus.

»War da in der Fahrbereitschaft nicht ein ausgedienter Wagen abzugeben?«

»Kommt vor, dass mal was abgestoßen wird.«

»Ein Trabant?«

»Keine Ahnung.«

»Aber irgendwo wurde doch vor Wochen ein Trabant-Wrack zum Aufbauen angeboten. Wo war das bloß?«

Sein Lächeln wirkte verlegen. Auch Simosch wagte nicht zu beurteilen, ob er bluffte oder wirklich vergessen hatte.
»Seit wann bist du denn scharf auf 'n Trabi?«, fragte Lukas.
»Ich nicht. Ich wüsste nur gern, wer das Wrack gekauft hat. – Entschuldigen Sie, Genosse Oberleutnant.«
»Herr Weitling, wenn Sie Luft brauchen, wie Sie es genannt haben, und durch den Wald laufen, da treffen Sie Leute, wissen um einsame Plätzchen, um Verstecke und gefährliche Stellen. Ich möchte alles wissen, was Sie in der letzten Zeit im Wald beobachtet haben.«
Lukas Weitling mühte sich, dieses und jenes bemerkt zu haben; Spaziergänger, Pilzsucher, Liebespärchen, den Förster, Rehe, einen Fuchsbau.
»Kannten Sie den Unterschlupf, in dem Benjamin Balmer vor zwei Jahren Diebesgut versteckt hatte?«
»Ja.« Er zog das Wort in die Länge. »Als die Polizeiabsperrung wieder weg war, sind wir Jungens damals alle hin und haben uns das angeguckt. Das leere Nest. – War nicht sehr spannend.«
»Sind Sie in letzter Zeit wieder dort gewesen? Allein oder mit Janina?«
»Weder – noch. Falls Sie es wissen müssen, wo ich und Janina gelegen haben, das kann ich Ihnen zeigen!«
»Am Morgen der Tat ist Ihre Freundin bei Ihnen zu Hause gewesen, haben Sie gesagt. Sie sind also ihr einziges Alibi.«
»Und sie ist meins. Wenn's Ihnen nicht genügt, meine Mutter weiß, dass wir um diese Zeit noch in der Falle lagen.«
»Das war's vorläufig, worüber ich mit Ihnen sprechen wollte.«
Simosch erhob sich und ging, vom Wachtmeister begleitet, zum Ausgang. Der Junge stellte die Stühle zurück. Albrecht

fragte: »Wie bist du überhaupt von Wüstenstein-Süd hierhergekommen?«
»Auf Skiern«, antwortete Lukas.
Die Skier lehnten neben der Tür. Blau mit weißem Mittelstreifen. Albrecht schlug die Tür hinter sich zu.
Sie stapften mit ihren Brettern durch den Schneesturm, den der Wachtmeister vorausgesagt hatte, zur Straße.
»War das Bluff mit dem Trabant?«, rief Simosch.
»Anfangs. Dann ist mir eingefallen, der Hellmich aus Vogelsgrün hat vergangenen Herbst in der Bärenschänke für ’n Butterbrot einen Trabant angeboten. Einen, an dem nicht mehr viel dran war. Damals hat sich keiner dafür interessiert. Aber das kann sich geändert haben. Lukas hat mit am Tisch gesessen.
Er schnallte die Skier an.
»Wie kommt man nach Vogelsgrün?«, fragte Simosch.
»Entweder Kammweg, der ist kurz und tückisch. Oder querfeldein. Länger, aber sicherer.« Als er sah, dass sich auch der Oberleutnant auf die Bretter stellte, rief er ihm zu: »Das kann ich allein erledigen!«
Einen Augenblick lang zögerte Simosch. Natürlich würde der Wachtmeister diesen Hellmich zum Reden bringen. Zusammen mit den Zuständigen der Kriminalpolizei würde er schließlich diese Diebstahlaffäre aufdecken. Er hatte den Mord an Wöhlers Tochter aufzuklären.
»Ich möchte Hellmich sprechen.«
Stirnrunzelnd half Albrecht ihm, die Bindung festzuziehen. Er entschied, den Querfeldeinweg zu laufen. Der Sturm nahm Simosch den Atem. Er versuchte, dicht hinter dem Wachtmeister zu bleiben, doch der Abstand wurde größer und größer. Wenn Albrecht es bemerkte, blieb er stehen,

Simosch den Rücken zugekehrt, und griente. Hatte ihn der Oberleutnant eingeholt, lief er wieder los. Am liebsten hätte Simosch sich zu Boden geworfen. Der Brustkorb, ein kalter, schmerzender Klumpen. Ohrensausen. Das Gesicht von Nadelspitzen zerstochen. Es war ein Fehler mitzufahren, dachte Simosch. Ich habe mich überschätzt. Albrecht lief auf den Wald zu, wartete, geschützt von schneebeladenen Fichten, auf den Oberleutnant, sah ihn stürzen und sich wieder aufrappeln.

»Alles in Ordnung?«, fragte er, als Simosch heran war.

»Bis auf Fuß und Daumen. – Mit dem Fuß ist's nicht so arg«, sagte er schnell, als er Albrechts bedenklichen Blick bemerkte.

Im Wald machte ihnen der Sturm kaum noch zu schaffen. Er zerrte nur an den Wipfeln der Bäume. Simosch blieb in Albrechts Spur und hielt sich die ganze Zeit über dicht hinter ihm. Als sie aus dem Wald herausliefen, sahen sie das Dorf. Wieder blieb Simosch stehen.

»Vogelsgrün«, sagte der Wachtmeister drängend.

»Herrliche Landschaft«, keuchte Simosch, dachte, ein paar Minuten wenigstens rausschinden, bis sich das Herz beruhigt hat. Das Schneetreiben war vorüber, nur der Sturm wütete noch. Zum Ort hin fiel das Gelände ab.

»Wir können ja mal 'n Privatausflug unternehmen«, sagte Albrecht, »und die Landschaft genießen. Aber jetzt pressierts. Am besten, Sie lassen sich einfach rutschen. Hier ist auf weiter Flur kein Graben oder Baum oder Grenzstein im Weg. Das Schlimmste, was Ihnen passieren kann, ist die Landung in einer Hecke.«

Er blickte noch einmal in die Runde, stieß Simosch in die Seite und wies mit dem Skistock auf einen dunklen Punkt,

der sich rechter Hand, weitab von ihnen, auf das Dorf zu bewegte. »Er kommt über ’n Kammweg!«
Albrecht stieß sich ab, Simosch glitt in seine Spur, sauste abwärts, ging ein wenig in die Knie und ließ die Stöcke schleifen. Die Hecke verfehlte er um Zentimeter. Vor ihm sprang Albrecht zur Seite. Irgendwo im Dorf kam Simosch zum Stehen, das heißt, den Skiern fehlte der Schwung, um weiterzugleiten.
»Drei Häuser übers Ziel hinaus!«, rief der Wachtmeister hinter ihm her. Er lachte. »Sie hätten sich sehen sollen! Wie der Frosch auf der Gießkanne!«
»So was«, erwiderte Simosch verblüfft. »Ich hätte meinen Dienstrang verwettet, dass ich eine gute Figur mache. – Wer ist übern Kammweg gekommen?
»Das werden wir gleich feststellen. Hier wohnt Hellmich. Er ist zu ihm.«
Sie klingelten. Eine Frau öffnete die Tür nur spaltbreit.
»Tag, Frau Hellmich.«
»Mein Mann ist nicht …«
Albrecht drückte die Tür auf und zog Simosch in den Hausflur. An der Wand lehnten Skier, blau mit weißem Mittelstreifen. Die Bindung noch schneeverkrustet. Simosch zog seinen Ausweis und sagte: »Ich möchte Herrn Lukas Weitling sprechen.«

6

Ich soll mich bei ihm melden. Wundert mich das vielleicht? Der fragt alle aus, die Janina gekannt haben. Mutter sagt, er sei ein Gerissener, und Vater, mit dem lässt sich reden. Ich bilde mir ein, als er durch die Gaststube ging, hat er mich angesehen. Von allen fünfzehn oder zwanzig Leuten, die da gesessen haben, nur mich. Aber im Einbilden bin ich noch nie besonders gut gewesen. – Na endlich kommt der Bus. Zehn Minuten verspätete Abfahrt. Die holt er bei dem Sturm nie auf. Ich hätte gern noch mit Petra gesprochen, bevor mich diese Polente durch die Mangel dreht. Beleidigend wäre ich gestern Abend im Suff geworden, hat mir der Wirt gesteckt. Hoffentlich legt der Polyp das nicht als Widerstand gegen die Staatsgewalt aus. Ich hab ja manches drauf, aber mich an einem Uniformierten vergreifen – nee, danke. Vielleicht hat der Wirt auch übertrieben. Ich weiß es nicht. Mir fehlt ein Stück Film. Auf jeden Fall werde ich mich entschuldigen. Als vorbeugende Maßnahme.

Der Bus kriecht ja heut wie 'ne Schnecke den Markhausener Berg rauf. Was quatscht die hinter mir? Bäume entwurzelt und Wege gesperrt? Hoffentlich nicht auf unserer Strecke. Soll doch der Polyp irgendwo festsitzen. In Wüstenstein-Süd zum Beispiel. Bei Hermann. Oder bei Lukas. Der ist bestimmt dran, so wie der mit der kleinen Wöhler stand. Ob die auch mit mir – wenn ich's drauf angelegt hätte? Niedlich war sie ja. Und lebenslustig. Aber eben die Tochter ihres Vaters. Jetzt konzentrier dich auf den Kriminalisten. Ja, er wird mich nach ihr fragen, und ich werde mit gutem Gewissen antworten, dass ich nicht viel weiß über sie. Manchmal hat sie bei Petra gesessen. Aber wenn ich kam, ist sie gegangen. Nicht, weil sie was gegen mich hatte, sondern weil sie mit Petra quatschen wollte und nicht mit mir. Und was weiß ich über ihren Freundeskreis? Nichts, was der Polizei nicht schon bekannt wäre: die Sache mit Schubert und dass sie mal mit Lukas gepennt hat. Bissel mager? Verehrter Oberleutnant, ich war ein und ein halbes Jahr lang weg vom Fenster. Mit Informationssperre über Dorfklatsch.

Warum wurden Sie inhaftiert? – Warum fragen sie immer, was sie längst wissen? Wetten, dass der meine Akte schon studiert hat? Also muss übereinstimmen, was ich erzähle, und was die damals zu Papier gebracht haben über den Angeklagten Balmer.

Intaktes Elternhaus. Intakt, weil die nicht wissen, wie der Alte mit Susanne, meiner älteren Schwester, umgegangen ist. Er mochte sie einfach nicht. Sogar geprügelt hat er das Mädel. Mit sechzehn ist sie aus dem Haus. Ich habe den Verdacht, dass sie gar nicht seine Tochter ist. Wer traut sich schon, Eltern nach solchen Dingen zu fragen.

Ein unauffälliges Kind. Bloß kein Aufsehen erregen! Wenn der Alte mit meiner Schwester rumgebrüllt oder sie vertrimmt hat, wäre ich am liebsten unsichtbar geworden. Die Angst, jemandem so ausgeliefert zu sein, hat mich jahrelang verfolgt. Und ebenso lange der Traum von Robin Hood, die Ungerechten zu strafen. Träume bleiben im Verborgenen. Sichtbar wurde ein gutmütiger Junge, mäßig begabt, mäßig fleißig. Kein besonderes Hobby. Ein Durchschnittsmensch.

Ausgezeichnet als bester Maurerlehrling. Das wollte ich nicht. In Diskos konnte ich nicht warm werden. Saufgelage fand ich abscheulich. Mit dem Alkohol schien mir etwas Unbestimmtes, Gefährliches ins Blut zu fließen; etwas, das Lust machte, auffällig zu werden. Ich gewöhnte mich lieber an ein regelmäßiges, solides Leben. »Arbeitswillig«, hat der Meister vor Gericht ausgesagt. Und pünktlich. Vater weckte mich, und ich wollte nicht seinen Unmut spüren müssen. Also keine Fehlstunde. Auch mal nach Feierabend dageblieben, wenn Not am Mann war. Gab ja nichts, was mich nach Hause zog. So was bringt mit der Zeit den Vermerk »hilfsbereit« in die Beurteilung. Ohne ein bisschen Interesse an der Arbeit, wäre das Leben einfach zu langweilig geworden. Ja, und dann fand ich mich mit Urkunde und Blumenstrauß in der Hand als bester Maurerlehrling wieder …

Keine gefestigte Persönlichkeit. Das hat der Gerichtspsychologe herausgefunden. Ob der mit achtzehn schon eine war? Meine damalige Freundin hatte den Tick, Gräser zu sammeln. Also sammelte ich mit. Bücher waren für uns nur noch zum Pressen von Gräsern interessant. Die schönsten Exemplare brachten wir unter Glas. Das Ganze eingerahmt, machte schon was her. Dann kam ich dahinter, dass sie auch noch ein Zweitexemplar von Freund besaß. So was vertrage ich nicht. Also Schluss. Was war nun an einem Grashalm noch interessant?

Ich lernte Rudi Kuhnert aus Wüstenstein kennen und durch ihn seine Schwester Petra. Rudi schnitzte. Eine neue Welt für mich, in der ich mich auch ein wenig ausprobierte.

Seine Schwester Petra aber war das hübscheste Mädchen, das ich bis dahin kennengelernt hatte. Große dunkle Augen; langes, schwarzes Haar und eine Figur … Ich war auf den ersten Blick in sie verschossen. Und sie war nicht so albern wie die anderen in ihrem Alter, die immerzu über was gackern und quieksen müssen. Aber warum die auch an mir einen Narren gefressen hatte? Na, man muss vielleicht nicht

alles wissen. Den Gerichtspsychologen hat interessiert, dass ich ungefestigte Persönlichkeit der Petra nach sechs Wochen Bekanntschaft ein Kind gemacht habe. Er schien darüber so sauer zu sein, als hätte ich ihn persönlich beleidigt.
Petras Bruder heiratete, zog nach Krummbach und schnitzte dort weiter. Ich kam nicht mehr so häufig mit ihm zusammen. Aber ich lernte den Sohn unserer Nachbarn kennen. Kfz-Schlosser. Unentwegt bastelte er zu Hause an fahrbaren Untersätzen herum. Eines Tages hatte er mich angesteckt. Ich half ihm. Aus Spaß an der Freude.
Über Petra hatte ich mir gerade die Plauze voll geärgert. Die wollte erst mal mit sich selbst ins Reine kommen. Was heißt denn mit sich selbst! Sie hat sich doch das Kind nicht selbst gemacht! Mit mir hatte sie ins Reine zu kommen, meine ich. Es war furchtbar. Ich fühlte mich so übergangen, so beiseite geschoben, so ohnmächtig ausgeliefert. Da habe ich im Suff ihre Katze … Na, was soll's. Hat sich ja alles wieder eingerenkt. – Während der Zeit, wo ich mich von ihr zurückgezogen hatte, lernte ich bei meinem Nachbarn autoschlossern. Das kam mir später zugute – oder auch nicht. Reine Ansichtssache.
Angeklagt wegen Diebstahls persönlichen und gesellschaftlichen Eigentums. Konnte ich denn wissen, dass der blaue Star dem Krankenhaus gehörte? Stand unter dem Blechdach neben Motor- und Fahrrädern von Personal und Besuchern. Vor Gericht erfuhr ich, dass Schwestern und Hebammen ihn in dringenden Fällen benutzten. Auch dass ich die Mopedteile gestohlen habe, um für mich was Fahrbares zusammenzubauen, offenbarten sie mir. Sollten sie's doch glauben! Leichter konnten sie mir's gar nicht machen.
Ein Star also!

Ja, Herr Vorsitzender, ein Star sollte es werden.
Und die S-50-Teile?
Die lassen sich doch auch für einen Star verwenden. – Nein, eine Schwalbe nicht noch, Herr Vorsitzender. Diese gestohlenen Teile wollte ich zu Geld machen. – Das Versteck im Wald? Hab ich vorher ausgeguckt …
Keine Ahnung hatte ich, wohin die Fahrt ging. Und Wald ist mir immer irgendwie unheimlich gewesen. Begabung als Pfadfinder geht mir auch ab.
Ja, Herr Vorsitzender, heute erinnere ich mich, das Moped war angeschlossen. Große Schinderei gewesen: Stoßdämpfer abmontiert, Sicherungsseil gelöst. Weggefahren. Motornummer ausgefeilt …
Das wollen Sie alles allein gemacht haben?
Ich bin ein Talent! Sechs Monate lang habe ich geklaut, gebastelt, verscheuert. Schlagzahlen besorgt und über ausgefeilte Nummern neue eingeschlagen. Magura-Lenker, Auspuff, Bowdenzüge geklaut. Einem Moped den Motor ausgebaut, bloß weil jemand ein Ritzel brauchte. – Was in den Protokollen steht, ist der blanke Quatsch. Aber ich muss ihn vor dem Oberleutnant wiederholen. Wenn was nicht übereinstimmt mit dem Protokoll von damals, kriegen die's fertig, die Sache noch mal aufzurollen.
Falls der Sturm Wüstenstein nicht weggeweht hat, müssten wir gleich dort sein. Habe ich alles bedacht, was mich die Polizei fragen könnte? Ach so, Hermann Wöhler. Was weiß ich über den? Dass er ein Arschloch ist!
Vielleicht interessiert auch mein Verhältnis zu Petra. Das ist nach wie vor gut. Wir lieben uns und unser Kind, und sie ist mir während der anderthalb Jahre treu geblieben. Warum sie nicht heiraten will? Möchte ich auch gern wissen. Das ist

das Einzige, wo ich sie nicht begreife. Da komme ich einfach nicht ran an sie. Na, ich spiel's nicht hoch. Ob mit oder ohne Trauschein, wir kommen jedenfalls gut zurecht miteinander. Wüstenstein. Raus aus dem Bus und gleich nach Hause wehen lassen. Guck an, der flinke Albrecht auf Skiern unterwegs. Kommt der etwa von Petra? Womöglich will mich dieser Simosch überhaupt nicht interviewen. So wichtig bin ich nicht in seinem Fall. Der lässt das vom Wachtmeister erledigen. Wird nur wissen wollen, wo ich gewesen bin, als man die Janina umgebracht hat. Na, wo schon. Hier in diesem Haus. Bei Petra. Trotzdem möchte ich Petra noch mal sprechen, bevor einer von der Polizei versucht, was aus mir rauszuholen, weil …

»Ja, ich bin's. Wer denn sonst, mein Schatz. Haste 'n heißen Tee für mich?« Er trat ins Zimmer. Aus dem Sessel erhob sich ein Besucher. Sportlich elegant gekleidet …

Simosch richtete sich im Bett auf und sank stöhnend zurück. Wie viele Muskeln hat der Mensch? »Nicht halb so viel, wie mir wehtun«, sagte Simosch in die morgendliche Stille seines Zimmers hinein. Er kam auf die Beine, schlich gebeugt, mit der Faust die Lendenwirbel reibend, zur Tür und rief nach dem Wirt. Im Haus gab es eine Dusche. Privat. Simosch verhandelte, bis der Wirt das Leistungsprofil, wie er das bisschen Service der Pension nannte, um die Benutzung eines Duschbades täglich erweiterte.

Das heiße Wasser löste die Steifheit. Kaum war noch Schmerz zu spüren. Kaltes Wasser prickelte auf der Haut, vertrieb die Müdigkeit. Eine halbe Stunde lang betrieb Simosch Wechselduschen, dann ging er pfeifend ins Zimmer zurück und ließ das Rollo hoch. Licht flutete ins Zimmer. Blauer Winterhimmel über einem Dorf in weiße Watte gebettet. Der Oberleutnant rasierte sich. Vor dem Kleiderschrank überdachte er kurz den Tagesplan.

Mit dem Mittagsbus nach Markhausen.

Akte Balmer studieren. Es galt, die Übereinstimmung zu prüfen zwischen Beni Balmers gestriger Aussage und der, die er vor seiner Inhaftierung zu Protokoll gegeben hatte. Auch bei der polizeilichen Ermittlungsarbeit trieben Widersprüche die Entwicklung voran.

Lukas Weitling in der Haftanstalt vernehmen. Mit seinen Sticheleien über ein Trabantwrack, das jemand billig versetzen wollte, hatte Wachtmeister Albrecht erfolgreich auf den Busch geklopft.

Nach Simoschs und Albrechts Besuch in der Leichenhalle hatte er sich auf die Skier geschwungen, um auf dem kürzesten Weg, dem Kammweg, nach Vogelsgrün zu fahren. Es war ihm daran gelegen, dass Herr Hellmich ihn nicht als Käufer seines Trabantwracks nannte. Da tauchte Simosch auf und rechnete zwei und zwei zusammen: Lukas Weitling stahl Trabantersatzteile und versetzte sie. Im Frühjahr wollte er seinen Trabant aufbauen. Noch stand das bereits bezahlte Wrack in Hellmichs Garage. Die Diebstähle interessierten Oberleutnant Simosch nur am Rande. Aber in seinem Notizbuch stand der Vermerk, dass der Dieb, dessen Versteck in der Nähe des Mordgeschehens lag, mit dem Mörder identisch sein oder ihn im Wald gesehen haben konnte.

Frau Ruth Grammelein vernehmen. Wachtmeister Albrecht war noch am Vorabend beauftragt worden, die HO-Haushaltwaren in Erlagrün anzurufen und deren Leiterin für den kommenden Tag zur Polizeidienststelle Markhausen zu beordern.

Im Augenblick jedoch war für Simosch nur wichtig zu überlegen: Musste er heute wieder Skilaufen oder nicht. Er musste nicht. Er wählte dunkelblaue Kordhosen, weißes Hemd, dunkelblauen Westover mit hellem Norwegermuster. Auch ein passender Binder fand sich noch. Er beschloss, in der Gaststube zu frühstücken.

»Wollen Sie zurück nach Berlin?«, fragte der Wirt, als Simosch wie aus dem Ei gepellt die Treppe herunterkam.

»Noch habe ich hier zu tun. Wenn die Brötchen so knusprig aufgebacken sind wie gestern, nehme ich zwei. Gibt's auch Roggenbrot?«

Der Wirt nickte. »Heut is Ware gekommen.«

In der Gaststube saßen zwei Pärchen. Winterurlauber offensichtlich, die mit den Skiern unterwegs waren und sich hier aufwärmten. An der Theke kaufte ein Mann in Arbeitskleidung Zigaretten und bestellte einen Grog. Der Oberleutnant ging zum Ecktisch, der für ihn reserviert war. Dort stand schon eine Kaffeetasse – zur Hälfte leer getrunken. Auf dem Stuhl am Fenster lag eine Handtasche. Er wählte die Sitzgelegenheit gegenüber dem Täschchen. Der Wirt trat mit voll beladenem Frühstückstablett an den Tisch.

»Sie is nur mal raus.«

»Wer ist sie?«

»Na, Fräulein Grammelein. Da kommt sie.«

Simosch vernahm kleine, feste Schritte. Er erinnerte sich an jenen Abend, als er Lukas Weitling nach Hause gebracht hatte.

Der Wirt zog sich zurück. Das Mädchen blieb überrascht stehen, als es Simosch erkannte. Sie grüßte, schob sich auf ihren Stuhl, stellte das Handtäschchen auf den Schoß, wie es Frauen mit voll gepackten Marktkörben tun, und hielt sich daran fest.

»So ein Frühstück«, sagte Simosch, »ist zu viel für eine Person. Leisten Sie mir sozialistische Hilfe?«
Die Art, wie sie nickte, offenbarte, sie traute sich nicht abzulehnen. Simosch bestellte ihr ein Kännchen Kaffee, ließ noch einen Teller bringen und bat sie zuzulangen. Sie strich ein Butterbrot, warf einen schnellen Blick auf die Erdbeerkonfitüre mit ganzen Früchten und wollte in ihr Brot beißen. Simosch schob ihr die Konfitüre zu, sie bediente sich.
»Im Konsum gibt's immer bloß Vierfruchtmarmelade.«
Sie aßen schweigend. Als Simosch mit der Papierserviette den Mund wischte, griff auch sie nach einer Serviette, betupfte die Lippen, getraute sich aber nicht, die Serviette auf ihren Teller zu legen. Sie knüllte sie in der Hand. Als der Wirt abräumte, ließ sie sie im Täschchen verschwinden.
»Und nun?«, fragte Simosch.
»Ich warte auf den Mittagsbus.«
»Warum sind Sie so früh gekommen?«
»Ich hab den Frühbus verpasst. Frau Weitling, Lukas' Mutter, ging's nicht gut. Im Büro der LPG musste ich warten, bis das Telefon frei wurde, um den Arzt anzurufen.«
»Sie wohnen bei Weitlings?«
Ein erschrockener Blick streifte Simosch.
»Ich – bin noch nicht polizeilich gemeldet. Weil ich… manchmal schlafe ich noch zu Hause. Aber ich melde mich demnächst an.«
Frau Weitling, erzählte sie, leide an undefinierbaren Kopfschmerzen, tagelang oft, dann war sie deprimiert, weinte ohne ersichtlichen Grund. Manchmal verursachte ihr der Schmerz Übelkeit und Erbrechen.
»Das mit dem Auto«, Beate Grammelein hielt den Blick gesenkt und schluckte, »hat der Lukas doch nur wegen seiner

Mutter getan. Damit wir sie nach Vogelsgrün zum Arzt fahren können.«
Jetzt sah sie ihn an. Ihre Augen flehten.
»Vor Gericht wird man alle Gründe erörtern.« Was für ein Trost, dachte Simosch und fragte: »Haben Sie ihm die Sache mit Janina verziehen?«
»Ihm schon. Und sie ist tot.«
Simoschs Blick trieb sie in Verteidigungsstellung. Das Mädchen spürte, der letzte Satz, mit solcher Erleichterung ausgesprochen, verlangte Rechtfertigung.
»Die beiden Wöhlers haben unserer Familie arg mitgespielt.« Sie brach den Satz ab, und ihr Schweigen wirkte ebenso bitter wie ihre Worte. Plötzlich sagte sie: »Janina hat wohl keiner Frau einen Mann gegönnt.«
»Wie kommen Sie denn darauf?«
»Meine Mutter und Hermann Wöhler – Sie wissen das ja. Die beiden sind gut miteinander zurechtgekommen, und ich war froh, dass sie nicht mehr allein war, denn ich wohne doch mehr bei Lukas als bei ihr. Als Mutti ihr wegen ihrer Rumtreiberei eines Tages die Meinung sagte, da ist sie hysterisch geworden.«
Frau Grammelein hatte die Sache anders dargelegt. Nach ihren Worten war Janina nicht mehr als nachdenklich gewesen.
»Hysterisch?«
»Sie hat meine Mutter angeschrien und ihr ganz gemeine Dinge an den Kopf geworfen. ›Mannstoll‹ gehörte noch zu ihren feinen Ausdrücken. Mutti war ganz verstört, als sie nach Hause kam.«
Sie senkte ihre Stupsnase, schnüffelte, grapschte im Handtäschchen nach einem Taschentuch, kriegte die Papierserviette zu fassen und schnäuzte hinein.

»Entschuldigen Sie bitte«, sagte sie förmlich.
»Nach diesem Auftritt hat Ihre Mutter Hermann Wöhlers Haus nicht mehr betreten?«
»Janina hatte es ihr doch verboten. Die wollte ihren Vater aufklären über die ›Erbschleicherin‹. Und das zu meiner Mutter. Wo die so bescheiden ist und korrekt in allem. Auch in der Verkaufsstelle.« Sie schluckte wieder. »Mutti ist ihr Leben lang noch nie so beleidigt worden.«
Auch davon war kein Wort gefallen an jenem Abend, als der Oberleutnant Frau Grammelein nach Erlagrün begleitet hatte.
»Und Herr Wöhler? Hat er Ihrer Mutter beigestanden?«
»Doch nicht gegen seine Janina. Die war sein Ein und Alles auf der Welt. Mutti meinte, der kriegt seinen Lohn schon noch, wenn er so weitermacht.«
»Wie weitermacht?«
»Wie der Janina verwöhnt hat. Für die musste es immer das Feinste und Beste sein. Und wie er das Haus für sie ausstaffiert hat! Dass da vielleicht noch manches nicht stimmt, ist meiner Mutter erst aufgegangen, als sie ihn nicht mehr besucht und über alles nachgedacht hat.«
»Was stimmt nicht bei Wöhlers?«
»Na, was der in den letzten Jahren so angeschafft hat, ob das alles aus dem Nebenverdienst von Karnickel-, Eier- und Schweineverkauf stammt!«
Simosch schwieg.
Petra Kuhnert war es, die ihr aus der Verlegenheit half. Noch im Mantel, einen Einkaufskorb in der Hand, trat sie zum Tisch.
»Wo hat denn der Chef seine Augen«, sagte sie, »Sie sitzen ja wie im Wartesaal.«

»Mir würde noch ein Kaffee guttun. Mit allem drum und dran.« Simosch blickte auf die Milchflasche in ihrem Einkaufskorb. »Milch für den Maurer?«
Sie schüttelte den Kopf. »Für den Jungen und meine Mutter. Beni und ich, wir finden keinen Geschmack an Milch. – Und du, Beate, auch noch einen Kaffee?«
»Lieber Tee.«
Wachtmeister Albrecht betrat die Gaststube. Der Oberleutnant bedeutete ihm durch eine Geste, am Tresen zu warten.
»Also Kaffee und Tee«, sagte Simosch zur Kellnerin, »bin gleich zurück.«
Er ging zum Tresen.
»Hab alles geregelt, was Sie mir aufgetragen haben.« Albrecht sprach leise. »Die Akte liegt bereit für Sie. Vom Staatsanwalt können Sie den unterschriebenen Haftbefehl für Lukas Weitling abholen. Frau Grammelein bittet darum, nicht vor sechzehn Uhr befragt zu werden. Sie hat bis dahin beim Großhandel zu tun.«
»Danke. – Wissen Sie eigentlich, was man über Hermann Wöhler munkelt?«
»Wegen seiner Freundinnen? Das habe ich Ihnen doch schon erzählt.«
»Wegen seiner Anschaffungen, die angeblich nicht allein von Verdienst und Nebenverdienst zu bestreiten sind.«
»Warum munkeln sie denn bloß!«, erwiderte Albrecht aufgebracht. »Sollen sie mir doch mit Fakten kommen. Mich packt's manchmal, eine Fuhre Heu oder einen Wagen mit Strohballen abladen zu lassen. Aber wenn darunter kein Holz, kein Baumaterial liegt? Ich muss die richtige Fuhre erwischen. Das schaffe ich bloß, wenn mir jemand einen Tipp gibt. Ich hatte auf Lukas gesetzt. Nichts. Läuft davon mit der

Ausrede, die Arbeit dort sei nichts für ihn, er wolle lieber den Garten pflegen für die Gewesenen von uns.«

»Weiß Benjamin Balmer mehr? Als ich ihn befragte, charakterisierte er Hermann Wöhler mit einem einzigen gemeinen Wort.«

»Beni wurmt's bloß, weil er für Wöhler nicht mehr salonfähig ist, seit er gesessen hat. Über Wöhlers Arbeit kann er nichts wissen.«

Er griff nach seiner Mütze und verließ die Bärenschänke. Beate Grammelein legte die Praktische Mode beiseite, als der Oberleutnant wieder an den Tisch trat.

»Der Bus wird bald kommen«, sagte er.

Sie nickte, setzte zum Sprechen an, schwieg. Ihre Hand schob das Teeglas beiseite, griff nach der Modezeitschrift, ließ die Seiten durch die Finger gleiten.

»Ich fahre nur in die Stadt, weil ... Ich möchte ihn besuchen.« Die Zeitschrift klappte zu. Ein bittender Blick zu Simosch. »Das wird doch möglich sein?«

Exakt erklärte er ihr Dienstweg und Formalitäten, die für einen solchen Besuch nötig sind. Aus dem »Ach so?« und »Ja, ja« sprach Enttäuschung. In ihrer Naivität hatte sie wohl gehofft, sie brauche sich nur dem Oberleutnant anzuschließen, um zu ihrem Freund zu gelangen. Simosch erinnerte sich an den unwilligen Blick, mit dem Lukas die Anwesenheit seiner Freundin quittiert hatte, als er ihn mit verstauchtem Knöchel nach Hause brachte. Er hörte wieder sein müdes »Geh nach Hause, Beate«, bevor die Tür zuschlug.

»Erinnern Sie sich an den Morgen, an dem man Janina gefunden hat?«, fragte Simosch.

»Das ist doch erst ein paar Tage her.«

7

Aus der Akte Benjamin Balmer ergab sich keinerlei Widerspruch zu dem, was der Junge ihm erzählt hatte. Nur davon, dass er damals eine Kanne Milch in das Waldversteck geschleppt hatte, wo er an den zusammengestohlenen Mopeds herumbastelte, war nicht die Rede gewesen. Sicherlich hält der junge Mann das nicht für wichtig. Für den Oberleutnant aber war dieser Fakt von Bedeutung. Zum wiederholten Male las er:

Die Milchkanne ist nicht mit angeklagt. Eine Verurteilung zum Schadenersatz hinsichtlich dieser kann demnach nicht erfolgen.

»Es ist das grässlichste Beamtendeutsch, das ich je gelesen habe«, wetterte Simosch. »Wenn ich nicht selbst bei der Truppe wäre, würde ich einen Polizistenwitz daraus machen! – Leiten Sie auch die Ermittlung im Fall Lukas Weitling?«

»Ja, Genosse Oberleutnant. Noch hat er nicht gestanden. Nur, dass ihm Herr Hellmich aus Vogelsgrün sein Trabantwrack billig überlassen hat, gibt er zu. Und das ist nicht strafbar.«

»Das Waldversteck. Mir geht's um das Versteck. Gibt er zu, dass er es kennt?«

»Er gibt nur zu, dass er Lukas Weitling heißt. Aber wir werden ihm alles nachweisen: die Kriminaltechniker, dass er in dem Versteck gewesen ist, und meine Leute, dass er am achtundzwanzigsten Oktober vorigen Jahres in Krummbach war und dort in der Burggasse von einem Trabant die Räder abmontiert hat. Wir sind die entsprechenden Anzeigen des vorigen Jahres durchgegangen und fündig geworden: Wa-

genteile, die als gestohlen gemeldet wurden, haben wir aus diesem Waldversteck herausgeholt.«
Er hielt Simosch einen Schnellhefter hin, zog ihn aber zurück, als ihm einfiel, wer da wieder Protokoll geführt hatte.
»Geht wohl schneller, wenn ich's Ihnen kurz erzähle. Herr Bohnke ließ den Trabant vorm Haus stehen, weil er morgens um fünf Uhr seinen Sohn zur Bahn fahren wollte. Aber der Trabant fuhr nicht mehr. Der stand statt auf Rädern auf Ziegelsteinen. Der Sohn, bei der NVA und auf Urlaub gewesen, verpasste den Zug, kam zu spät ins Objekt zurück und wurde bestraft. Er hat sehr genau darüber nachgedacht, wer am Vorabend in Krummbach gewesen ist. Unter anderem Lukas Weitling.
Anzeige wegen einer gestohlenen Beifahrertür liegt von Frau Michael aus Bergenhain vor. Die schließt morgens, bisschen müde noch, ihren Wagen auf und steht in Zugluft. Die rechte Wagentür war abmontiert. Wir werden Weitling …«
»Ich bin sicher«, unterbrach Simosch ihn, »dass Sie ihn festnageln können. Dieser Diebstahl ist Ihr Bier. Ich muss mit dem Mord an Wöhler weiterkommen, und deshalb möchte ich jetzt Lukas Weitling sprechen. Falls etwas für Sie herausspringt, lasse ich Sie's wissen.«
Der Leutnant bot ihm für die Vernehmung sein Dienstzimmer an. Ein Raum mit Usambaraveilchen auf dem Fensterbrett und einem runden Glas, in dem drei Goldfische schwammen. Plötzlich tat es Simosch leid, diesen Leutnant angefahren zu haben wegen dieses albernen Protokolls. Der konnte sich seine Mitarbeiter weder aussuchen noch jeden ihrer Federstriche redigieren. Er verließ sich auf sie und tat seine Arbeit. Was er da über Nacht gegen Weitling zusammengetragen hatte, war beachtlich. Gegen den Dieb Lukas

Weitling. Simosch wünschte sich, er selbst hätte so überzeugende Beweise gegen Janinas Mörder in der Hand.
Bot sich bei diesem Jungen eigentlich ein Motiv dafür, Janina Wöhler aus der Welt zu schaffen? Er sah ihn vor sich mit seinem aufgeweckten, trotzigen Blick, dem Stoppelhaar über der breiten Stirn, seine enttäuschte Lebenserwartung hinter Spott verbergend. Noch immer voller Phantastereien.
Wenn er doch Vertrauen zu mir hätte, dachte Simosch, aber ich bin wohl der Letzte, zu dem jemand, den ich dienstlich aufsuche, Vertrauen hat. Ich komme als einer, der verdächtigt, der Vergessenes aufwühlt, der zum Reden zwingt, wo man schweigen möchte. Selbst die Unschuldigen verschließen sich zumeist, denn unschuldig sind sie wahrscheinlich nur in dem Fall, den ich zu klären habe. An irgendeiner Schuld krankt jeder. Simosch erinnerte sich an Balmer: Wir sind alle krummes Holz.
Lukas Weitling würde ihm nichts anvertrauen. Die Liebesbeziehung, die einmalige, hatte er unumwunden zugegeben. Doch Simosch war misstrauisch geworden gegen vordergründige Freimut.
»Herr Oberleutnant, ich will ganz offen zu Ihnen sein …«
In den ersten Dienstjahren hatte er solche Ankündigungen als Erfolg seiner Vernehmungstaktik gewertet. Nach und nach erst war er hinter das Berechnende gestiegen, das in manchen Bekenntnissen lag. Man redete, wo Schweigen verdächtig machte. Man log nicht, sondern erzählte offenherzig nachprüfbare Geschichten, machte Geständnisse, doch man gab nichts Wesentliches preis. Das Geheimnis verbarg sich hinter der Offenheit.
Es klopfte. Sie brachten Lukas Weitling, nahmen ihm die Handschellen ab und gingen wieder hinaus. Der Oberleut-

nant deutete auf einen Stuhl, und Weitling setzte sich. Er hatte Ringe unter den Augen, sah fahl aus und müde. Ein mokantes Lächeln gelang ihm dennoch.

»Wo wir uns überall begegnen! Am gemütlichsten fand ich's gestern beim stillen Schuhmacher.«

»Wer hebt nun Janinas Grab aus?«

Schweigen.

»Wer hat sie umgebracht?«

»Sie werden's herausfinden.«

»Von dem Versteck aus, in dem die Autoteile lagerten, könnte man etwas beobachtet haben.«

»Könnte. Ich weiß von keinem Versteck.«

»Bis jetzt habe ich Sie für einen schlauen Kopf gehalten.« Simosch legte viel Enttäuschung in seine Worte und dachte, nun soll er mir mal zu verstehen geben, dass diese Masche bei ihm nicht zieht.

»Sie bewegen sich unter Ihrem Niveau.«

»Was bleibt mir anderes übrig. Ich muss mich auf meinen Partner einstellen.«

»Oho! Worauf soll das hinaus?«

»Darauf, dass man Ihnen die Diebstähle nachweisen wird, gleichgültig, ob Sie etwas zugeben oder den Ahnungslosen spielen. Der Leutnant, der die Untersuchung leitet, ist rührig genug, um Material und Zeugen gegen Sie aufzufahren, er wird Alibis von Ihnen fordern, die Sie nicht erbringen können. Wo sich ein Mensch bewegt, hinterlässt er Spuren. Die Kriminaltechniker werden vor Gericht nachweisen, dass Sie in jenem Waldversteck gewesen und dass die gestohlenen Autoteile, die dort lagern, durch Ihre Hände gegangen sind. Sie aber benehmen sich, als hätten Sie's mit dummen Jungen zu tun, denen man ein X für ein U vormachen kann.«

»Sollen die doch ruhig mal arbeiten für ihr Gehalt.«
»Ihre Antworten waren schon spritziger.«
Ein Zucken um Weitlings Mundwinkel verriet Missmut. Er ärgert sich über sich selbst, und das macht ihn unsicher, dachte der Oberleutnant.
»Übrigens habe ich heute Morgen in der Bärenschänke mit Beate Grammelein gefrühstückt. Da kam so nebenbei heraus, dass Sie für die Zeit, in der Janina ermordet wurde, kein Alibi haben. Sie waren telefonieren, und weder Ihre Mutter noch Ihre Freundin wissen, wie lange Sie außer Haus gewesen sind.«
»Grad so lange, wie man braucht, um ein Taxi zu organisieren.«
»Oder so lange, bis man Janina im Wald vom Rad gezerrt hat.«
Weitling atmete schwer, schluckte, beherrschte seine Erregung.
»Ist das nicht auch 'n mieser Kriminalistentrick, jemandem 'ne große Sache anhängen, damit er die kleinere gesteht?«
»Sagen wir, es ist eine Methode, die selten ohne Erfolg bleibt. Nur, dass es mir nicht darum geht, wer am achtundzwanzigsten Oktober vergangenen Jahres in Krummbach in der Burggasse die Räder von Herrn Bohnkes Trabant abmontiert, sondern wer vor ein paar Tagen im Wüstensteiner Wald Janina Wöhler erstochen hat.«
Die präzisen Angaben beeindruckten den Jungen. Simosch war sicher, der Leutnant würde nun keine große Mühe mehr mit ihm haben.
»Dafür, dass Sie der Diebstahl nicht interessiert, wissen Sie aber 'ne ganze Menge darüber. Gut, Sie haben gewonnen, Hellseher. Ich habe mir da was zusammenorganisiert …«

»Erzählen Sie's dem Leutnant. Ich suche Janinas Mörder. Gestern, als ich Sie fragte, was Ihnen in letzter Zeit im Wald aufgefallen ist, wussten Sie kleine, harmlose Geschichten zu erzählen. Heute erfahre ich, dass Sie selbst kein Alibi besitzen.«
Die Hände tasteten unruhig die Stuhlkante entlang.
»Sie werden eine Menge Leute finden, die kein Alibi haben.«
»Einer von ihnen hat sie umgebracht.«
»Ich bin's nicht gewesen. Weshalb sollte ich ...«
Simosch fiel ihm ins Wort.
»Wo genau haben Sie sich damals im Wald mit ihr getroffen?«
Lukas Weitling beschrieb ihm die Stelle.
»Vielleicht stimmt's«, sagte Simosch, »kann aber auch sein, Sie haben in Ihrem Unterschlupf mit ihr gelegen, sie hat die gestohlenen Autoteile bemerkt und wollte Sie anzeigen.«
»Sie wusste nichts davon. Und wenn, Janina hätte gelacht und mir Glück gewünscht. Das ist das eine. Das andere: Selbst wenn sie auf alles zusammen verfallen wäre, was Sie da vermuten – ich hätte Janina nicht umgebracht.«
Schweigen.
Deshalb nicht, dachte Simosch, aber was, zum Teufel, könnte Janina Wöhler angestellt haben, dass du ihre Existenz nicht mehr ertragen konntest? Oder ...
»Lukas, wissen Sie, wer es getan hat? Haben Sie eine Vermutung?«
Kopfschütteln. Schweigen.
»In jenen Stunden, als Sie mit ihr zusammen gewesen sind, hat sie da von jemandem gesprochen, den sie fürchtet, der ihr nicht wohl will, sie bedroht hat?«
»Wir haben nicht viel gesprochen.«
»Kennen Sie jemanden, der Janina gehasst hat?«
»Frau Schubert war nicht gut auf sie zu sprechen, und Beates

Mutter war enttäuscht von ihr – aber hassen? Bis auf den Tod?« Und nach einer Weile: »Man kann keinem ins Herz gucken. Nicht wahr, Hellseher?«
Kann man nicht, sonst wüsste ich mehr, dachte Simosch, auch über dich. Vor allem über dich.
»Wenn Sie an meiner Stelle wären und müssten diesen Mord aufklären, wo würden Sie beginnen? Was würden Sie tun?«
Der Junge beugte sich vor, stützte den Kopf mit beiden Händen, schloss die Augen.
Simosch wartete. Als Lukas Weitling sich aufrichtete, zuckte er die Schultern.
»Wenn nicht Janina, sondern ihr Vater umgekommen wäre, könnte ich Ihnen vielleicht einige Hinweise geben.«
Er blieb nachdenklich. Auch als Simosch erzählte, Beate Grammelein sei nach Markhausen gekommen, um eine Besuchserlaubnis zu erwirken, hing er seinen eigenen Gedanken nach.
»Mussten Sie sich eigentlich Mut antrinken, bevor Sie Fahrzeuge auseinandergenommen haben?«
»Wie bitte?«
Simosch wiederholte seine Frage.
»Quatsch. Ich mache mir überhaupt nicht viel aus Alkohol.«
»Stimmt. Ihre Freundin sagte, Sie trinken am liebsten Milch.«
»Muss ja 'ne spannende Unterhaltung gewesen sein.«
Auch das klang geistesabwesend.
»Worüber grübeln Sie denn?«
»Was ich dem Leutnant erzähle«, sagte er zögernd.
»Am besten die Wahrheit.«
Das ist es nicht, was ihn nachdenklich stimmt, dachte Simosch, aber im Augenblick ist kein Herankommen an ihn.
»Wenn Sie möchten, lasse ich Ihnen ein Glas Milch bringen.

Wir sehen uns andermal wieder. Jetzt ist der Leutnant dran. Auf Wiedersehen.«

»Rutsch mir ’n Buckel runter«, sagte Lukas Weitling leise, und laut: »Danke für die Milch.«

8

Meine eigene Tochter hat mir das eingebrockt! Natürlich nicht böswillig. Sie ist einfach ein Schäfchen. Auf keinen Fall diesem Simosch gewachsen. Der hätte wohl irgendwann ohnehin herausgefunden, wie Janina und ich wirklich zueinander gestanden haben. Irgendwann wäre für mich günstiger gewesen als heute. Trotzdem darf ich Beate nicht böse sein. Sie leidet auch wegen Lukas. Nimmt einen Urlaubstag und fährt hierher, um ihn in der Haftanstalt zu besuchen! Einfach so, als hätte er sich im Hotel einquartiert und sie brauche nur dem Portier Bescheid zu sagen, dass sie ihn sprechen möchte. Ich wusste gar nicht, dass sie so naiv sein kann. Sie durfte nicht zu Lukas. Aber nicht die offizielle Verweigerung, ihn zu besuchen, hat sie so tief getroffen, sondern die Tatsache, dass Lukas sie gar nicht sehen wollte. Der Leutnant hat ihr das wahrheitsgemäß und schonungslos übermittelt. Es wird nicht zu seinen Pflichten gehören, auf Gefühle verliebter Mädchen Rücksicht zu nehmen. – Dieser Simosch dagegen, der hat es raus, auf so ein junges Ding einzugehen und von ihr zu erfahren, was er wissen will.
Ich bin beunruhigt darüber, dass ich meine Tochter nicht richtig einschätzen kann. Die Arbeit ist schuld. Die Verkaufsstelle, die mich so ganz und gar in Anspruch nimmt. Probleme mit dem Großhandel, Probleme mit dem Personal, Beschwerden und Wünsche der Kunden. Letztlich läuft alles bei mir zusammen. Zugegeben, ich war erleichtert, als Beate Lukas kennenlernte und immer seltener nach Hause kam. Ich habe mir eingeredet, wenn sie bei ihm wohnt, lernt sie ihn am besten kennen und hat außerdem einen kürzeren Weg

zur Arbeit. Die berühmten zwei Fliegen mit einer Klappe geschlagen. In Wirklichkeit wohl ein Schlag ins Wasser. Heute Nachmittag, als sie in meine Arme geflüchtet ist und geweint hat wie ein kleines Kind, weil der Lukas sie nicht sehen wollte, da habe ich endlich begriffen: sie ist brav, gutgläubig, hilflos. Diesem Leben noch nicht gewachsen. Ich habe sie zu früh abgenabelt.

Was weiß ich eigentlich von Lukas? Nicht viel mehr, als dass sie ihn liebt. Ich habe darauf gesetzt, dass meine Tochter weiß, was sie tut. Warum habe ich ihr eigentlich mehr Menschenkenntnis zugetraut als mir selbst? Wann ist mir denn klar geworden, dass ich mich geirrt habe in Hermann Wöhler? Nach meinem Rausschmiss. Selbst da ist mir die Einsicht noch schwergefallen. Ich war als Leiterin der Konsumverkaufsstelle interessant für ihn. Wenn ich seine Erwartungen erfüllt hätte, hätte er gewiss nicht zugelassen, dass mir seine Tochter so frech kommt.

In letzter Zeit sind mir in meinem Verhalten einige Fehler unterlaufen. Ich habe Menschen falsch eingeschätzt und mich in meiner Enttäuschung provozieren lassen. Und ich habe mich nicht so um meine Tochter gekümmert, wie es nötig gewesen wäre. Mein armes Mädel. Ich fürchte, dein Lukas macht sich nicht halb so viel aus dir, wie du annimmst.

Hier ist es ja. Deutsche Volkspolizei. Hier muss ich hineingehen und mich bei Oberleutnant Simosch melden. Ausweis bereithalten. Anmeldeformalitäten. Begleitung zur ersten Etage. Warteraum. Am Tisch eine ältere Frau, die immer wieder ein eben ausgefülltes Formular durchliest. Den Stift hält sie noch in der Hand. Nun spricht sie die Gedanken, die ihr ohnehin im Gesicht geschrieben stehen, auch noch aus.

»Hoffentlich habe ich alles richtig gemacht.«

Ich tue, was sie von mir erwartet, und lese den Antrag durch. Sie möchte zu ihrer Cousine ins Rheinland. Alle Fragen sind exakt beantwortet. Sie atmet auf, flüstert: »Ich fahre zum ersten Mal, und eigentlich ist das meine Großcousine. Ob sie das nachprüfen? Haben Sie da Erfahrung?« Und gleich die Antwort: »Ist wohl nicht möglich. Sie sind ja noch zu jung.«
Ob jung oder nicht, was ich hier aussage, wird nachgeprüft werden … Da ist er ja, der Oberleutnant Simosch. Gut aussehend, höflich und schick gekleidet.
»Würden Sie bitte mitkommen?«
Ja, ich komme mit. Danke, ich nehme Platz.
»Ich habe heute mit Ihrer Tochter gesprochen, Frau Grammelein. Da sind Widersprüchlichkeiten aufgetaucht zwischen dem, was Sie mir über Ihr Verhältnis zu Janina Wöhler berichtet haben und dem, was Ihre Tochter aussagt.«
Mir wird ganz übel. Dabei war diese Einleitung zu erwarten. Nur ruhig bleiben.
»Vielleicht habe ich damals, als alles so taufrisch war, die Angelegenheit ein wenig dramatisiert.«
Ich hätte die Wände hoch und runter laufen können vor Wut, wie diese Göre mich behandelte. Nach Schreien war mir zumute vor Enttäuschung, weil der Hermann sie nicht zurechtgewiesen hat.
»Dramatisiert? Vor Ihrer Tochter?«
»Ich habe sonst niemanden, dem ich mein Herz ausschütten kann.«
Hoffentlich kam das nicht zu wehleidig. Ich möchte sachlich wirken. Ruhig und sachlich.
»Ihre Meinungsverschiedenheiten mit Fräulein Wöhler nannten Sie nicht der Rede wert. Aber Janina hatte Sie doch recht scheußlich behandelt.«

Ich zucke mit den Schultern, gebe damit zu verstehen, dass ein solches Verhalten für mich nicht von Bedeutung ist.
»Sie haben dem Mädchen seinen Lebenswandel vorgeworfen und mir erzählt, Janina habe das schweigend hingenommen. Ihre Tochter sagte etwas anderes aus.«
»Meine Tochter ist nicht dabei gewesen …«
Himmel, klingt das zickig! Ist das meine Sachlichkeit? Hoffentlich kann ich diese dümmliche Haltung noch korrigieren.
»… und was ich ihr in der ersten Rage erzählt habe, klang wohl schlimmer als es war.«
»Wieso sind Sie denn zu Hause so aufgebracht gewesen, wenn Janina zu allem geschwiegen hat?«
Ja, wieso? Er treibt mich in Verteidigungsstellung. Damit hast du doch gerechnet, Grammelein. Nun verteidige dich bitte schön.
»Meine Erregung bezog sich nicht auf die Auseinandersetzung mit Fräulein Wöhler …« Wie gestelzt das klingt! Aber hast du so angefangen, dann mach auch weiter. Die Stirn gekraust, ein wenig Zurechtweisung in die Stimme und Überlegenheit in den Blick. »… sondern darauf, dass Beate weinte. Ihr Freund hatte sie betrogen …«
»Mit Janina Wöhler!«
Sie überhörte und sprach weiter: »Meine Tochter hängt an ihm, wie Sie heute selbst feststellen konnten. Und eine Mutter schmerzt es, zu sehen, dass ihr Kind leidet.«
Das war gar nicht schlecht. Er nickt. Warum wiederholt er mich jetzt?
»Ihre Erregung bezog sich nicht auf die Auseinandersetzung mit Fräulein Wöhler – eine Auseinandersetzung hat also stattgefunden. Janina hat Ihre Vorwürfe nicht schweigend hingenommen.«

Was soll ich darauf entgegnen? Warum bin ich so schwerfällig im Parieren?
»Das Mädchen beleidigte Sie, wie das noch nie ein Mensch getan hat. Die Worte mannstoll und Erbschleicherin mussten Sie sich anhören.«
Das war zu viel. Diese Kröte! Geohrfeigt habe ich sie. Aber davon weiß nicht einmal meine Tochter etwas.
»Daraufhin haben Sie sich nicht zurückgezogen, wie Sie mir glauben machen wollten, sondern Fräulein Wöhler hat Sie kurzerhand hinausgeworfen und Ihnen verboten, das Haus zu betreten.«
»Ja, im Hinauswerfen sind die Wöhlers einmalig.« Wenigstens ein Rest von Humor ist dir noch geblieben, Grammelein. »Doch ein solches Verbot hätte ich nur ernst genommen, wenn es vom Hausherrn gekommen wäre …«
»… der Sie auch enttäuscht hat, weil er nicht eingeschritten ist. Frau Grammelein, im Hause Wöhler sind Sie gekränkt und erniedrigt worden, ohne eine Chance, sich dagegen zu wehren. Ihre Hoffnung auf Genugtuung haben Sie mit den Worten ausgedrückt: Der Hermann kriegt seinen Lohn schon noch. Und an jenem Morgen, auf den es hier ankommt, sind Sie mit dem Motorrad nach Wüstenstein gefahren und dort in den Bus gestiegen. Warum haben Sie mir das verschwiegen?«
»Sie haben mich nicht danach gefragt.«
»Sie sind intelligent genug, um zu wissen, dass für die Polizei alles von Wichtigkeit ist, was Sie am Tage des Mordes getan und in Bezug auf Janina Wöhler wahrgenommen haben. Wann sind Sie losgefahren?«
»Halb sieben. Oder wenige Minuten später.«
»Und wo sind Sie Fräulein Wöhler begegnet?«
»Überhaupt nicht. Es regnete. Der Waldweg war mir zu auf-

geweicht. Ich bin über Vogelsgrün gefahren. Ein Umweg, aber …«

»Die Kriminaltechniker haben Motorradspuren gesichert. Wir werden prüfen, ob die von Ihrem Krad stammen.«

Ich habe wohl alles falsch angefangen. Ganz falsch.

»Ach ja, ich entsinne mich. Ich bin doch den kürzeren Weg gefahren, aus Angst, den Bus zu verpassen.«

»Und wo haben Sie Janina überholt?«

»Das war …« Es ist besser, jetzt bei der Wahrheit zu bleiben. Wer weiß, was die alles aus den Reifenspuren herauslesen können. »… ungefähr hundert Meter im Wüstensteiner Wald. Von Wüstenstein-Süd aus natürlich.«

»Und?«

»Ich bin einfach an ihr vorbeigefahren.«

»Aber fünfhundert Meter weiter? Dort hat man Janinas Rad gefunden. Und das Mädchen selbst im Wald. Erstochen. Mit dem Fahrtenmesser ihres Vaters. Sie konnten in jenem Haus das Messer an sich bringen.«

»Das habe ich nicht getan. Manchmal hat's Janina eingesteckt, ohne dass ihr Vater davon wusste.«

»Was ist geschehen, als Sie ihr im Wald begegnet sind?«

Wenn ich schweige, kann ich nichts Falsches sagen.

»Frau Grammelein, wenige Minuten nach dieser Begegnung ist sie umgebracht worden. Haben Sie im Wald jemanden gesehen, irgendetwas Verdächtiges bemerkt?«

Habe ich nicht. Es genügt, wenn ich den Kopf schüttele. Reden kann ich nicht. Ich fürchte, meine Stimme verrät mich.

»Wie es aussieht, sind Sie, Frau Grammelein, die Letzte gewesen, die Janina Wöhler lebend gesehen hat!«

»Außer dem Mörder!«

Jetzt schweigt er.

9

»Herr Simosch, Anruf für Sie!«
Simosch schreckte hoch. Er hatte auf der Couch gelegen, grübelnd über Ruth Grammelein.
»Ein Leutnant aus Markhausen ...!«
»Bin schon da!«
Er sprang zur Tür und die Treppe hinunter, drückte den Hörer ans Ohr und nannte seinen Namen.
Lukas Weitling hatte gestanden. Alles. Von den vier Rädern, die er von Bohnkes Trabant abmontiert hatte, bis zur letzten Schraube. Er wollte das Trabantwrack, billig von Hellmich aus Vogelsgrün erstanden, bis zum Frühjahr aufgebaut haben. Vor allem, um seine Mutter zweimal wöchentlich in die Klinik zur Behandlung fahren zu können. Seine Aussagen waren nachgeprüft worden. Sie stimmten überein mit dem Tatbestand. Auch die Anzeigenerstatter waren noch einmal gehört worden. Lukas Weitling hatte nichts verschwiegen. Der Fall galt als geklärt.
»Wir lassen ihn frei bis zur Verhandlung«, sagte der Leutnant, »da zwar eine Straftat, aber kein Verbrechen vorliegt. Uns ist alles bekannt, er kann nichts mehr verdunkeln.«
»Hm«, brummelte Simosch, »soll mir recht sein.«
Dieses umfassende Geständnis war das Klügste gewesen, was der Junge tun konnte, und im Grunde hatte er damit gerechnet, dass Lukas Weitling sich klug verhalten würde.
Der Leutnant sagte: »Ich dachte nur, es wäre gut, wenn Sie das erfahren, falls Sie noch Interesse an ihm haben und wissen möchten, wo er zu finden ist.«
Simosch dankte, legte den Hörer auf, ging in sein Zimmer

zurück und trat ans Fenster. Es dämmerte. Aber selbst in der Dämmerung war die Luft noch klar und weithin durchsichtig. Seit zwei Tagen herrschte ideales Winterwetter: Neuschnee, leichter Frost, blauer Himmel, Sonne. Simosch blickte zum Wüstensteiner Wald hin.

»Warum ist er von Wöhler weg?«, murmelte er. Dann riss er die Schranktür auf, zog seinen gesteppten Anorak über und verließ das Haus, ging über die Straße zu Wachtmeister Albrecht.

Albrecht hatte ihn kommen sehen und erwartete ihn unter der Tür.

»Das Wasser ist am Kochen. Kaffee, Tee oder Grog?«

»Tee«, sagte Simosch. »Und er muss nicht nachtschwarz sein. Ich möchte schlafen können.«

Während der Wachtmeister Tee brühte und servierte, ließ Simosch sich in den behaglichen Ohrensessel sinken, aus dem so schwer hochzukommen war.

»Lukas hat gestanden. Sie lassen ihn frei bis zur Verhandlung.«

Der Wachtmeister pfiff durch die Zähne. Simosch wusste nicht, ob das ein Ausdruck des Staunens oder des Schmerzes war, denn Albrecht hatte sich die Hand mit kochendem Wasser bespritzt.

»Ich möchte wissen, wo sich der Junge aufhält, sobald er die Haftanstalt verlässt. Können Sie fürs Erste auf ihn aufpassen? Morgen schicke ich Ihnen zwei meiner Mitarbeiter. Zeigen Sie ihnen Lukas. Alles Weitere werden sie übernehmen.«

Albrecht schnitt eine Zitrone, stellte Zucker auf den Tisch und setzte sich schließlich zu Simosch.

»Soso, zwei Mitarbeiter von Ihnen. Geschniegelt und gebügelt und vielleicht mit solchen Gurken an den Füßen, wie

Sie an Ihrem ersten Tag hier getragen haben. So einer bleibt in Wüstenstein-Süd unentdeckt wie'n Nashorn im Salatbeet. Dort gibt's nämlich nicht mal 'n Gasthaus. Man kann nur die Dorfstraße rauf- und runterspazieren.«

»Erstens«, erwiderte Simosch lächelnd, »werden sie keine Gurken tragen. Zweitens wird Lukas Weitling seine Arbeit wieder aufnehmen, und hier in Wüstenstein laufen zur Zeit etliche Winterurlauber umher. Warum sollte sich dieser und jener nicht für den Friedhof interessieren? Drittens hat es keine allzu große Bedeutung, ob der Junge etwas merkt oder nicht. Für mich ist wichtig zu wissen, was er anstellt, mit wem er Kontakt aufnimmt. Vielleicht wird er nervös und reagiert unbedacht, wenn er feststellt, dass wir ein Auge auf ihn haben. Nach dem Gespräch auf dem Friedhof war er irritiert genug, um völlig überstürzt Hellmich aufzusuchen.«

»Impulsiv war er schon immer.«

»Sein Verhalten und die Diebstähle machen ihn ziemlich verdächtig. Jetzt möchte ich auch Anhaltspunkte für seine Kündigung in der Fahrbereitschaft. Was dort zwischen ihm und Wöhler vorgefallen ist, kann im Zusammenhang mit dem Mord an Wöhlers Tochter stehen.«

»Oder mit den Mauscheleien in der Fahrbereitschaft! Es wird gemauschelt, da fress ich 'n Besen! Aber wie dahinterkommen? Wenn der Wöhler ein Dämlack wäre und ein ganz großes krummes Ding drehen würde, da hätte ich ihn schnell gepackt. Aber die täglichen unkorrekten Geschäfteleien, die sind schwerlich aufzudecken. Und was Lukas' Kündigung betrifft, darüber schweigt Wöhler ebenso wie der Junge selbst. Sie halten uns die offizielle Version unter die Nase und lassen sich nicht in ihre Karten gucken.«

Simosch erhob sich.

»Also bis morgen. Wenn was ist, Sie finden mich vormittags bei Hermann Wöhler. Zum Samstag wird er wohl zu Hause sein.«

Der Wachtmeister begleitete Simosch zur Tür und sagte: »Da kann ja der Lukas auch an der Beerdigung teilnehmen.«

»Versprechen Sie sich davon etwas?«

»In Kriminalromanen kommt's vor, dass sich der Mörder am Grab verrät.«

»Wenn er so dumm ist«, erwiderte Simosch amüsiert, »erwische ich ihn garantiert noch vorher.«

Die Sonne zog den Nebel hoch. Simosch glitt vorsichtig über die schneebedeckte Wiese, die zum Wald hin sanft abfiel, vorbei an Telefonmasten, gezuckert vom Raureif. Die Leitungen schwebten als weiße Schnüre über ihm. Als die Sonne durchbrach, sah er den Wald. Ein Wald ohne Grün. Raureif an Stämmen, Ästen, Nadeln. Silbrig glänzender Märchenwald. Es war ganz still, bis auf das Schurren der Skier im Schnee.

Die Stelle, an der Janinas Rad gelegen hatte, erkannte Simosch an einer Krüppelkiefer, jetzt ein bizarres Gebilde aus blendendem Weiß mit glitzernden Pünktchen. Er schnallte die Skier ab und stapfte linker Hand in den Wald hinein, dorthin, wo Janina gelegen hatte. Weiße, friedvolle Stille auch hier. Hasenspuren im Schnee. Nichts wies auf eine Untat hin.

Simosch ließ sich auf einen Baumstumpf nieder und zog sein Notizbuch aus der Tasche. Vor Tagen, als er den Namen Ruth Grammelein auf die Seite der Verdächtigen schrieb, wusste er nur, dass es Streit gegeben hatte zwischen ihr und dem Mädchen. Nach dem Gespräch mit ihrer Tochter aber war er um einiges klüger. Dieser Streit konnte nicht als Weibergezänk abgetan werden. Da steckten Lebenshaltungen dahinter. Frau Grammelein hatte die Jüngere, für die Liebe ein Augenblicksgenuss war, verurteilt. Wie stark musste sich Janina durch diese Frau herabgesetzt gefühlt haben, um sich so gehen zu lassen und sie zu verletzen. Dass ihr Vater dahintersteckte, wenn sie Frau Grammelein das Haus verbot, mochte die Grammelein ahnen, wissen konnte sie es nicht. Für sie war Janina diejenige, die sie beleidigt und ihr eine Partnerschaft zerstört hatte. – Morde waren schon aus weit geringeren Beweggründen begangen worden.

Zum Motiv kam der Fakt, dass Frau Grammelein dem Mädchen kurz vor dessen Tod begegnet war. Sie sei einfach an ihr vorbeigefahren – eine Behauptung, die niemand mehr nachprüfen konnte.

Auch über Lukas Weitling, der in Simoschs Notizbuch unter der Rubrik zu überprüfen stand, hatte der Oberleutnant ein klareres Bild gewonnen. Leider nicht klar genug, um ihn als Täter zu erkennen oder aus dem Mordfall herauszustreichen. Auch ihm hatte Beate das Alibi zerstört. Aber ein Motiv ließ sich bei ihm schwerlich erkennen.

Ob es Beate Grammelein inzwischen klar geworden war, dass auch auf sie Argwohn fallen musste? Das Mädchen hatte sich, getrieben von Simoschs Fragen, selbst in Verdacht geredet und um ihr Alibi gebracht. Wenn ihr Freund an jenem Morgen zum Münzfernsprecher am Postamt gelaufen war, konnte auch sie unbemerkt das Haus verlassen haben. Zwar wusste sie, dass Janina ihr den Freund nicht nehmen würde, aber sie hatte ihn ihr verdorben! Simosch hatte den Verdacht, das sei für sie schwerwiegender. Gegen ihre Täterschaft sprachen nur Lukas' Worte, sie sei kein Mensch, der sich rächt, sondern der vergibt und leidet.

Wenn sie Janina umgebracht hätte, und Lukas ahnte oder

wüsste es, weil er von seinem Waldversteck aus etwas beobachtet hatte, ob er sie schützen würde? Das Waldversteck! Ursprünglich von Beni Balmer entdeckt und benutzt. War er nach seiner Haftentlassung wieder hier gewesen? Hatte er etwas bemerkt? Zwischen Benjamin und Lukas scheint es keinen Kontakt zu geben. Beide haben gestohlen. Der eine vor zwei Jahren, der andere vor Wochen. Beide haben das gleiche Versteck für ihr Diebesgut benutzt. Beide Male wurde in dem Versteck Milch getrunken. Einmal blieb eine Kanne, einmal eine Flasche zurück. Aber Benjamin Balmer macht sich nichts aus Milch. Konstruiert man, wenn man da einen Zusammenhang sieht? Ich muss noch mehr wissen, entschied Simosch.

Leichter Wind zitterte durch das Geäst. Dort, wo die Sonne durchsickerte, blendete der Schnee. Simosch erhob sich, schnipste gegen weiße Fichtenzweige. Der Schnee blieb haften. Gläsernes Bäumchen. Ein Kriminalist im Märchenwald, dachte er spöttisch. Warum zieht es den Kriminalisten und nicht den Täter zum Tatort zurück?

Entschlossen ging er hinüber zum Waldweg, schnallte die Skier unter, versuchte, sich auf die Fragen zu konzentrieren, die er Hermann Wöhler stellen wollte, und lief ohne weiteren Aufenthalt nach Wüstenstein-Süd.

Wöhler fütterte die Hühner. Als er hörte, dass jemand nach ihm rief, trat er aus der Stalltür, geblendet von dem gleißenden Weiß ringsum. – Simosch sagte, er habe ein paar Fragen an ihn. Wöhler nickte, schloss die Stalltür ab und führte ihn ins Haus. In der holzgetäfelten Küche türmte sich gebrauchtes Geschirr. Die Jalousie war noch heruntergelassen.

»Gehen wir ins Zimmer.«

Ohne auf die nassen Flecken zu achten, die der abtauende

Schnee auf dem Teppich hinterließ, wies er dem Oberleutnant einen Sessel an und setzte sich in einen zweiten, schwerfällig, mit einem dumpfen Ausdruck in dem leicht gedunsenen Gesicht. Entweder hat er schon wieder getrunken, dachte Simosch, oder seit gestern Abend noch nicht aufgehört.
»Haben Sie ihn gefunden?«, fragte Wöhler, ohne sein Gegenüber anzusehen.
»Noch nicht. Ich hoffe, von Ihnen ein paar Anhaltspunkte zu erhalten.«
Wöhlers kräftige, sehnige Hände ballten sich zur Faust, öffneten sich und ballten sich wieder.
»Ihre Tochter ist mit Ihrem Fahrtenmesser erstochen worden«, sagte der Oberleutnant.
Jetzt schaute Wöhler auf, Unglauben im Blick.
»Mit meinem alten Fahrtenmesser …?«
»Wie kann jemand an dieses Messer herangekommen sein?«
»Der Lump muss es dem Mädel abgenommen haben.«
Er erzählte, dass Janina am Morgen ihres Todes ihn um das Messer gebeten hatte, ohne einen Grund zu nennen, nur mit den Worten: Es gibt einem ein beruhigendes Gefühl.
»Sie haben es ihr ohne Weiteres gegeben?«
»Warum nicht? 'n Messer kann man immer brauchen. Außerdem, wenn's Mädel was gewollt hat, hat sie's gekriegt. Da brauchen Sie mich nicht zu fragen, warum. Das war eben so. Ich konnte ihr keine Mutter bieten, aber sonst sollte es ihr an nichts fehlen. Da hab ich drauf geachtet.«
»Kennen Sie ihren Freundeskreis?«
»Wollen Sie drauf raus, dass sie bisschen – locker gelebt hat?«
»Vorerst möchte ich nur wissen, mit wem sie Umgang hatte. Mädchen, Jungen, Familien.«
»Familien können Sie vergessen«, erwiderte er schroff. »Wir

haben's zu keiner mehr gebracht, und zu anderen Familien hat's uns nicht hingezogen.«

Er zählte Jugendliche aus Wüstenstein und Wüstenstein-Süd auf, von denen er wusste, dass Janina mit ihnen bekannt gewesen war. Er nannte Petra Kuhnert und Lukas Weitling. Der Name Benjamin Balmer fiel nicht. Es könne noch einige in Markhausen geben, wo sie gearbeitet hat, meinte Wöhler, doch darüber wisse er nichts. Der Oberleutnant fragte nach Benjamin Balmer.

»Den habe ich mal gekannt«, erwiderte er, »früher.«

Das Krankenhaus kam zur Sprache. Hermann Wöhler legte Wert darauf, wegen eines Unfalles und keineswegs wegen einer Schlägerei dort eingeliefert worden zu sein. Als er aufstehen und durchs Gelände spazieren durfte, hatte sich die Bekanntschaft mit Benjamin Balmer ergeben, einem ruhigen, netten Jungen, der dort mauerte, und sich für Autos interessierte.

Sie waren ins Gespräch gekommen. Später hatte Balmer ihn in Wüstenstein-Süd besucht, auch in der Fahrbereitschaft. Zu Janina bestand keine engere Beziehung.

Alles deckte sich mit dem, was Balmers Mutter, seine Freundin und er selbst bisher ausgesagt hatten.

»Warum besteht diese Bekanntschaft nicht mehr?«

»Weil er sich hat was zuschulden kommen lassen. Er hat gesessen.« Wöhler legte den Unterarm auf den Tisch und beugte sich darüber zu Simosch hin. »Ich hatte auf meinen guten Ruf zu achten, verstehen Sie? Im Interesse des Mädels. Die sollte nicht von mir sagen können, dass ich Umgang hätte mit Knastbrüdern. Ich wollte, dass sie mich achten kann. Deshalb zu Beni Balmer keine Freundschaft, keine Feindschaft. Aus dem Weg gehen. Fertig.«

»Mit Balmer hat das funktioniert. Mit Ihren Freundinnen sind Sie nicht immer so reibungslos fertig geworden.«
»Ahnte ich's doch, dass das kommt! Sie sollen den Lumpen finden, der Janina umgebracht hat, und nicht in meinem Privatleben rumwühlen!«
»Gehörte Ihre Tochter nicht zu Ihrem Privatleben?«
»Ich hab nichts übrig für solche Wortklaubereien. Aber da Sie Wert legen auf das Thema Freundinnen: Ja, ich hab mir Vorwürfe gemacht, dass es meine Schuld sein könnte, wenn das Mädel von Mann zu Mann tändelt. Vielleicht war ich ihr doch kein gutes Vorbild. Vielleicht hätte ich nie eine ins Haus nehmen sollen …«
»Oder mit Janina darüber sprechen, weshalb Sie mit einer Frau nicht mehr leben können, und der Frau einen ehrlichen Abschied geben. Sie haben das Janina besorgen lassen.«
Wöhler hob den Unterarm und ließ ihn schwer auf die Tischplatte plumpsen.
»Wenn Sie den Lump gefunden haben, der das Mädel umgebracht hat, können Sie meinetwegen mit mir reden wie mit einem Schuljungen.«
»Ihre Freundinnen denken, dass sie Janina im Weg gewesen sind«, fuhr der Oberleutnant unbeirrt fort. »In Ihnen sehen sie nur den Vater, der gegen seine mutterlose Tochter nicht vorzugehen wagt. Vielleicht meinen sie, dass Sie ein Schwächling sind. Vielleicht haben sie Mitleid mit Ihnen. Ihren Hass aber hat sich Janina zugezogen. Man tötet, wenn man hasst.«
Hermann Wöhler hielt den Mund leicht geöffnet, sein Atem ging schwer. Er hatte den Arm vom Tisch genommen und sich zurückgelehnt, als wolle er Abstand schaffen zwischen sich und diesem Kriminalisten, dessen Worte ihm Schuld aufluden.

»Welche Ihrer früheren Freundinnen hat den Rauswurf durch Ihre Tochter schwer verwunden? Wer ist allein geblieben?«
Wöhler überlegte. Er schloss die Augen. In den Stirnfalten sammelte sich Schweiß. »Die Tonicke«, sagte er, »war die Erste, die von Janina vergrault wurde. Ich war stolz aufs Mädel, weil sie, ohne drüber zu reden, kapiert hatte, dass ich nicht mehr klarkam mit der Tonicke …«
Der Oberleutnant erinnerte sich an Albrechts Erzählung, die erste Frau, die Janina aus dem Haus gewiesen hatte, sei aus dem Nachbardorf mit einer Schwalbe zu Wöhler gefahren.
»Was für ein Mensch ist Frau Tonicke? Warum konnten Sie nicht leben mit ihr?«
»Wozu denn diese alten Geschichten …«
Oberleutnant Simosch sah ihm fest in die Augen.
»Manchmal braucht's erst ein Unglück, damit man in sich geht. Ich bin im Krankenhaus mit mir ins Reine gekommen, dass ich so nicht weiterleben darf. Sie wollten mir schon 's Mädel wegnehmen wegen Schnaps und Weiber. Auf beides hab ich verzichtet, als ich rauskam. Nur Arbeit und Janina hat's gegeben. Es ging aufwärts. Moped und Motorrad rollten wieder, dann kam der Trabi. In dieser Zeit lief mir die Tonicke übern Weg. Adrett, guten Ruf, fleißig. Genau das, was mir noch fehlt, dachte ich. Anfangs ging's gut. Nach 'ner Weile merkte ich, die stört was, aber ich kam nicht dahinter, was es war. Was Großes jedenfalls nicht, und mein Taschentuch, was ich unters Stuhl- oder Sofakissen stopfte, konnte es wohl nicht sein. Auch nicht die Socken, die immer dort liegen blieben, wo ich sie auszog. Das war's aber dann doch. Und meine Angewohnheit, Suppe zu schlürfen. Mit Genuss! Und die Art, Bier zu trinken. Aus der Flasche nämlich. Und …

und … und …! Sie hat's mir nicht vorgeworfen. Sich hat sie angeklagt, dass sie's nicht schafft, einen ordentlichen Menschen aus mir zu machen. Und immer hinter mir her, Socken weggeräumt, Taschentücher in die Tasche gestopft, Bierglas neben die Flasche. Im Betrieb ging's aufwärts. Aber zu Hause wurde mir gezeigt, wie unzulänglich ich war. Sie ist nie laut geworden. Hat schmerzlich gelächelt, als ob ihr wer weiß was weh täte. So kann kein Mensch leben!«
Er fragte Simosch, ob er was trinken wolle, erhob sich, als Simosch ablehnte, sagte: »Aber ich hole mir was« und schlurfte zur Küche. Vor Tagen, als er noch nichts von Janinas Tod wusste, war er aufrecht gegangen und mit festen Schritten. In der Küche klappte die Kühlschranktür. Wöhler kehrte mit einer geöffneten Flasche Selters zurück, setzte sich wieder, trank, die Selters zischte, lief ihm durch die Mundwinkel übers Kinn. Er wischte sich mit dem Unterarm trocken.
»Sie hätten sich mit Frau Tonicke aussprechen sollen.« Ein mitleidiger Blick streifte den Oberleutnant.
»Vertane Zeit.«
»Sie haben alles Janina überlassen.«
Er ließ die leere Flasche einfach auf den Teppich rollen.
»Nicht, dass ich irgendwas verlangt hätte von ihr. Wir haben nie darüber gesprochen.«
»Wie hat sich Frau Tonicke danach verhalten?«
»Ist eine Weile übel hergezogen über mich.«
»Über Sie?«
Wöhler öffnete die Lippen und blickte geradeaus.
»Wenn ich's recht bedenke – das Mädel hat sie schlecht gemacht.«
»Da war sie nicht die Einzige«, sagte Simosch. »Ich hab Ihnen ja schon erklärt, wieso.«

Nun erst schien er zu begreifen. Beide Fäuste knallte er auf den Tisch, puterrot im Gesicht.

Das mag in der LPG sehr eindrucksvoll sein, dachte Simosch, wenn etwas durchgesetzt werden muss und nicht vernünftig begründet werden kann. Hier bewirkt es nichts.

»Deswegen!«, brüllte Wöhler. »Deswegen soll jemand das Mädel abgestochen haben?«

»Es wäre eins von einigen möglichen Motiven. Wer war die andere Frau, die diese Art Abschied aus Ihrem Haus krumm genommen hat?«

Hermann Wöhler brauchte eine Weile, um sich zu beruhigen, sagte dann: »Sie heißt Gudrun Ebel und ist ganz anders als die Tonicke. Bei der hätte ich's Bier aus'n Straßenschuhen trinken und die Socken auf'n Tisch legen können. Aber die war wie 'ne Katze – abends zusammengerollt auf meinem Schoß liegen. Und endlose Gespräche. Sogar im Bett noch. Bloß nicht über was Handfestes; worüber's zu reden lohnt, sondern über Zeugs, das sie mal gelesen hat oder das ihr grad durch den Kopf gegangen ist. Die hat noch paar Mal an die Tür geklopft, als sie längst raus war hier, und dann versucht, mit der Janina so zu quatschen wie erst mit mir.«

»Warum musste Frau Grammelein gehen?«

Wöhler fingerte am oberen Knopf seines grauen Flanellhemdes. Als er ihn geöffnet hatte, quoll dunkles, starkes Brusthaar hervor.

»'s ging eben nicht mehr.« Und nach einer Weile: »Ich denke, bei der spielt 'ne Rolle, dass sie das Mädel wirklich nicht gemocht hat. Aber ich weiß nicht, was es gegeben hat zwischen den beiden.«

Der Oberleutnant informierte ihn mit knappen Worten über die Meinungsverschiedenheiten und die Art, wie beide Frau-

en sie ausgetragen hatten. Wöhler saß wieder mit leicht geöffneten Lippen, als döse er vor sich hin. Doch der Oberleutnant wusste inzwischen, dass er auf diese Weise Denkarbeit leistete.
»Warum hat Lukas Weitling in der Fahrbereitschaft der LPG gekündigt?«
Wöhler musste seine Gedanken erst umdirigieren. Er zog ein gequältes Gesicht.
»Der wollte wieder Gärtnerarbeit machen.«
»Das mag in der offiziellen Begründung stehen. Ich möchte den wahren Grund erfahren.«
»Ich weiß nur den einen«, sagte Wöhler abweisend.
»Sie wissen, dass er mit Ihrer Tochter kurzzeitig ein Verhältnis hatte?«
»Wenn er sie geliebt hat, hat er sie nicht umgebracht.«
»Herr Wöhler, wo würden Sie den Mörder Ihrer Tochter suchen? Haben Sie irgendeinen Verdacht?«
»Ich weiß nur …«, er schluckte, würgte. »Ich vergess mich, wenn ich den vor mir hab.«
Und wieder, wie am Tag, als er vom Tode seiner Tochter erfahren hatte, drang stoßweise Glucksen aus seiner Brust, das in Stöhnen überging.
»Sie hat doch noch gar nicht richtig gelebt. Zweiundzwanzig. – Mein Gott!«
Draußen rief jemand. Simosch bezog es weder auf sich noch auf Wöhler, horchte nur auf, weil ihm die Stimme bekannt vorkam. Er erkannte sie in dem Augenblick, als er auch die Worte verstand. Es war Beate Grammelein. Sie rief um Hilfe. Er sprang auf, lief zur Tür, riss im Vorraum seinen Anorak vom Haken. Schon trommelte sie gegen die Außentür. Simosch riss sie auf, und sie stolperte ihm entgegen.

»Schnell! Kommen Sie! Er will sie umbringen!«
Sie lief vor ihm her, in Hausschuhen, ein wollenes Dreiecktuch um die Schultern geschlungen.
»Wen will er umbringen?«
»Die im Konsum.« Sie schluchzte. »Er ist so außer sich.«
Sie rannte auf die kleine Lebensmittelverkaufsstelle zu. Samstag, registrierte Simosch in Gedanken, Schließtag für den Konsum. Dort wird es heute niemanden geben, den man umbringen könnte.
Da sah er Weitling. Mit einem Fußtritt trat er gegen den Vorgartenzaun. Der war morsch genug, um auf drei Meter Länge zusammenzubrechen. Wachtmeister Albrecht war fast heran an den Jungen. Von rechts lief ein Mann in Zivil herbei. Der Oberleutnant erkannte einen seiner Mitarbeiter, den er mit Weitlings Observation beauftragt hatte. Der Junge riss eine Latte aus dem umgestürzten Zaun und schwang sie wie einen Knüppel.
O nein, dachte Simosch, nicht das noch. Nicht noch Widerstand gegen die Staatsgewalt!
»Lukas!«
Er rief gleichzeitig mit Beate Grammelein. Lukas stutzte. Als er vier Mann auf sich zustürzen sah, warf er in einem Anfall ohnmächtiger Wut die Latte ins Schaufenster. Das Rufen und das Klirren von zersplitterndem Glas wurde trotz der Entfernung, in der die Höfe auseinanderlagen, wahrgenommen und rief Neugierige ans Fenster und vor die Türen.
Der ABV und Simoschs Mitarbeiter hielten Lukas Weitling an den Handgelenken gepackt.
»Was ist denn hier los?«, fragte Simosch.
Der Junge spuckte aus vor ihm, der Wachtmeister hob die Hand zum Schlag.

»Na, na«, sagte Simosch und hielt Albrechts Hand fest. Beate Grammelein bat: »Lukas, beruhige dich! Das bringt doch nichts …«
Er hob den Kopf und schüttelte sich. Sie ließ ab von ihm, ging zur Seite und weinte in ihr Wolltuch. Lukas schwieg noch immer, und der Oberleutnant dachte: Das ist das Beste, was er tun kann, solange er so in Rage ist. Der Junge zog die Augenbrauen zusammen. Nichts von Trotz, kein bisschen Spott im Blick, nur Wut und Widerwille.
»Lasst ihn los«, sagte Simosch.
Der Kriminalist trat zurück. Albrecht guckte verständnislos und hielt Lukas' Handgelenk weiterhin fest. Simoschs Mitarbeiter stupste ihn in die Rippen und zog ihn beiseite. Er gab den Jungen frei.
»Zertretene Zäune fallen nicht in mein Ressort«, sagte Simosch. »Wenn Sie möchten, können Sie trotzdem mit mir sprechen. Wenn nicht, klären Sie die Angelegenheit mit dem ABV.«
»Ihr seid doch alle gleich«, sagte der Junge, würdigte aber Albrecht keines Blickes, sondern sah Simosch an.
Sie gingen auf Weitlings Anwesen zu. Beate Grammelein folgte, noch immer schluchzend. Lukas wandte sich um nach ihr.
»'s ist gut nun, Beate.«
Es hörte sich an, als würde ihm der Geduldsfaden gleich wieder reißen.
»Wenn du willst«, sagte sie unter Tränen, »geh ich eben zu mir nach Hause. Wenn du's wirklich willst.«
»Ich will's.«
Er sagte es wie das Amen in der Kirche. Sie schnüffelte in ihr Wolltuch.

»Ich hol nur noch meinen Mantel. Es ist nicht recht von dir, Lukas, dass du mich wegschickst. Aber ich bin dir nicht böse. Das weißt du.«
Lukas knirschte mit den Zähnen. Vor dem Haus blieb er stehen und lauschte. Drinnen war es still. Er zog einen Schlüssel aus der Tasche und sah Simosch an.
»Wenn sie eingeschlafen ist, und ihr weckt sie auf, garantiere ich für nichts.«
Frau Weitling schlief nicht. Sie saß am Tisch, die Hände im Schoß und hatte verweinte Augen. Als ihr Sohn, Beate und der Oberleutnant ins Zimmer traten, stand sie auf und zog Lukas an sich.
»Tu nichts Unüberlegtes, Lukas! Nichts, was sie dir anhängen können. Wir ändern die Menschen nicht. Ich hätt's dir gar nicht erzählen sollen. – Was wollen Sie denn?«, fragte sie mit einem feindseligen Blick den Oberleutnant.
»Wissen, was hier los war.«
»Es ist nicht der Rede wert. Bitte, lassen Sie uns allein.«
»Das Mindeste, worüber wir sprechen müssen, ist Sachbeschädigung. Aber ich möchte wissen, was sich vorher abgespielt hat.«
Beate Grammelein hatte im Korridor den Mantel übergezogen und kam ins Zimmer. Mit einem bittenden Blick zu Oberleutnant Simosch fragte sie: »Brauchen Sie mich noch?«
»Ich erzähl's ihm schon«, sagte Lukas schnell.
»Also, dann geh ich jetzt. Weil du's so willst, Lukas. Du weißt, dass du immer auf mich zählen kannst. Ich bin dir wegen nichts böse. – Wegen gar nichts«, wiederholte sie mit Nachdruck.
»Weshalb schickst du sie denn weg?«, fragte Frau Weitling verständnislos. Das Mädchen, die Türklinke schon in der

Hand, wandte sich mit einem hoffnungsvollen Blick nach ihr um.

»Erzähl ich dir später, Mutter. Mach's gut, Beate.«

Sie zog die Lippen zwischen die Zähne, nickte und verließ das Zimmer.

»Wir sollten uns setzen«, sagte Frau Weitling.

Sie strich ihr Haar glatt, das wie eine zweite Haut am Kopf anlag, und zupfte an dem Ärmelbündchen ihrer Bluse. Sie setzte sich, Simosch nahm Platz, Lukas lehnte gegen den Wohnzimmerschrank.

»Es war eine Lappalie«, sagte Frau Weitling. »Aber es hat so wehgetan. Es war nur wegen der Apfelsinen.«

In der Lebensmittelverkaufsstelle, dort, wo sie zweimal wöchentlich sauber machte, waren Apfelsinen geliefert worden. Zum ersten Mal seit Weihnachten, und es war nur eine kleine Lieferung gewesen.

Die auf den Ladentisch zu bringen, hatte nicht gelohnt, nach Ansicht der Verkaufsstellenleiterin. Sie teilte sie unter dem Personal und einigen Stammkunden auf.

Für Frau Weitling, die eben den Laden saubergewischt hatte, gab es keine Apfelsinen. Sie wusste, dass Lukas nach Hause kam. Sie nahm sich ein Herz und fragte die Leiterin, wo ihre Apfelsinen seien.

»Die geben wir nur an Leute ab, die hier arbeiten.«

Frau Weitling stiegen Tränen in die Augen.

»Aber Dreck wegwischen ist doch auch Arbeit.«

»Wir haben nur zwei Kisten voll gekriegt. Das reicht nicht mal für alle ehrlichen Leute.«

»Und das mit dem Auto, das hat er doch nur gemacht, um mir zu helfen. Weil's der Hermann Wöhler abgelehnt hat, mich nach Vogelsgrün zum Arzt fahren zu lassen.«

Sie weinte lautlos. Tränen rollten über ihre faltigen Wangen und tropften auf die Bluse.

»Man muss sich damit abfinden, dass man immer hintenangesetzt wird, wenn man nichts zu bieten hat.«

»Wie war das mit Hermann Wöhler?«, fragte Simosch.

Noch ehe Frau Weitling antworten konnte, fuhr Lukas herum. »Ich habe Ihnen doch schon mal was von Spezialisierung erzählt. So was gibt's auch in der LPG. Man ist spezialisiert auf Tierhaltung und Pflanzenproduktion und innerhalb der Tierhaltung zum Beispiel auf Rinder, Schweine, Schafe, Hühner und so weiter. Und innerhalb der Schweinezucht gibt's für jedes Schweinealter eine andere Futterzusammensetzung. Auch in Ordnung, also fahren die Schweinefütterer dreimal täglich ihre Tour von Wüstenstein-Süd über Vogelsgrün, Krummbach, Wüstenstein und zurück nach Süd. Bis vor kurzem ist noch jeder Spezialist zu einer anderen Zeit mit einem Auto losgezogen, um den Viechern ihr Spezialfutter zu servieren. Teure Schweinerei. Nun hat auch Wöhler Anweisung, Benzin zu sparen. Sie sitzen also zu dritt in einem Barkas. Aber die Futterfahrten werden immer noch als erstklassige Einkaufs- und Organisationstouren genutzt. Außerdem hat Wöhler nicht nur den Barkas laufen. Da muss Stroh geholt werden aus der Scheune bei Krummbach, und irgendwo fehlen Maschinenteile. Alles nötig. Alles richtig. Nur, man könnte es so organisieren, dass die Hälfte der Fahrzeuge läuft. Ich habe alles durchdacht und Wöhler vorgerechnet. Da war ich Klein Moritz, der die Welt verbessern will. Es muss so sein, wie Wöhler es anordnet. Ich hab 'ne Weile gebraucht, um zu begreifen, warum das so ist. Bei den meisten Transporten läuft was Privates mit. In Wüstenstein braucht der Fleischer für seinen Anbau Ziegelsteine, die es in Erlagrün gibt. Wöhler macht's möglich. Gute Wurst und Schinken hat er immer im Kühlschrank. Der Tischler aus Krummbach braucht was aus Vogelsgrün, der Gas- und Wasserinstallateur hat Wünsche. Wöhlers Fahrbereitschaft ist stets zu Diensten. Und er lässt seine Küche eichenholztäfeln und das Haus einrichten, perfekt vom Keller bis zur Dachluke.

Meine Mutter muss zweimal wöchentlich in die Neurologie nach Vogelsgrün. Laufen ist zu weit. Taxi zu teuer. Ich habe Hermann Wöhler gebeten, sie im Schweinebarkas mitzunehmen. Das ist keine Extratour. Kein Tropfen Benzin wird mehr verbraucht. – Aber da hat Hermann Wöhler seine Gesetzestreue entdeckt: Wo denkst du hin? Das ist verboten! Privatpersonen auf so eine Tour mitzunehmen, ich bitte dich, du bringst mich in des Teufels Küche! Wenn du's nicht glaubst, ich zeig dir 's Gesetzblatt. Außerdem, deine Mutter ist krank. Wenn da mal was passiert in einem Auto von meinem Fuhrpark ... Nein, Junge, die Verantwortung kann ich nicht auf mich nehmen! – Gegen so viel Mist konnte ich nicht anstinken. Ich bin gegangen.«

»Gegen Mist sollte man nicht anstinken, sondern ausmisten!« Simosch erhob sich. »Aber das kostet Kraft. Davonlaufen ist einfacher. – Für die Schaufensterscheibe müssen Sie aufkommen.«

»Wahrscheinlich auch für den verdammten, längst verrotteten Zaun«, sagte Lukas.

Der Oberleutnant nickte ihm und Frau Weitling einen Gruß zu und ging schnell aus dem Zimmer.

Die Tür zu Wöhlers Haus war nicht verschlossen. Oberleutnant Simosch trat ein, fand Hermann Wöhler in der unaufgeräumten Küche. Vor ihm auf dem Tisch stand in einer gro-

ßen Henkeltasse schwarzes Gebräu, das nach Kaffee roch. Wöhler kaute einen Brotkanten, schnitt ein Stück Salami ab und stopfte es in den Mund.
»Was war denn los?«, fragte er, kauend und ohne Interesse.
»Lukas Weitling wollte den Konsum auseinandernehmen. Seine Mutter ist dort beleidigt worden.«
»Ach so.«
Wöhler schlürfte Kaffee, dann biss er in den Brotkanten und stopfte wieder Wurst nach.
»Er scheint empfindlich zu sein, wenn es um seine Mutter geht«, sagte Simosch.
Keine Reaktion. Wöhler aß weiter.
»Oder darum«, fuhr Simosch fort, »dass sich die Leute auf Moral und Vorschriften nur dann besinnen, wenn sich das Übersehen nicht auszahlt.«
Wöhler hielt einen Augenblick mit Kauen inne, eine Falte zwischen den Augenbrauen, ein skeptischer Blick zum Oberleutnant. Dann malmten seine Kiefer wieder.
»Es wird dataillierte Untersuchungen geben in der Fahrbereitschaft der LPG. Lukas hat erzählt, warum er von dort weg ist.«
Wöhler spülte seinen Bissen mit Kaffee hinter, schob Henkeltasse, Brot und Wurst weit von sich, legte beide Unterarme auf den Tisch und blickte auf irgendeinen Punkt der Tischplatte.
»Scheißegal ist mir das«, sagte er. »Ich will bloß wissen, wer 's Mädel abgestochen hat.« Nach einer Weile sah er Simosch an. »War doch alles für sie. Ich – konnt ihr nicht Vater und Mutter in einem sein. Weiß nicht mal, ob ich 'n guter Vater gewesen bin. Ich hab für sie gesorgt auf meine Art.«
»Wohlstand statt Elternliebe«, sagte Simosch.

»Quatsch. Ich hab sie geliebt. Hat sie damit was anfangen können? Aber wenn einer was in der Hinterhand hat – Wohlstand, wie Sie sagen –, das gibt Halt. Und nur wo was ist, kommt was zu. Sie sollte mal ’ne gute Partie machen können. Deshalb das Nest hier. – Sollen sie doch untersuchen und mit mir machen, was sie wollen.«
Er starrte wieder auf die Tischplatte. Einen Augenblick lang war Oberleutnant Simosch versucht, Wöhler an Verantwortungen zu erinnern, die außerhalb seines Privatlebens und trotz des Schmerzes um Janina noch existierten, doch er spürte, dass er auf seelische Taubheit stoßen würde, und ließ es sein. Wöhler war in seinem Lebensnerv getroffen. ›Der kriegt seinen Lohn schon noch‹, hatte Frau Grammelein gesagt.
Plötzlich fröstelte Simosch, obwohl es warm in der Küche war. Janina! Wöhlers Ein und Alles, wie es Beate Grammelein formuliert hatte. Und jeder wusste das. Jeder, den er von sich geschoben, übergangen, beleidigt hatte. Lukas, Frau Grammelein und die Frauen, die vor ihr im Haus gewesen waren. Auch Benjamin Balmer. War Janinas Tod der Lohn gewesen für Wöhlers Übeltaten? Simosch rieb sich die Handgelenke.
»Lukas Weitling hat Sie gehasst«, sagte Simosch.
Schulterzucken.
»So was hat mich nie gekratzt.«
»Aber er war wohl nicht der Einzige.«
»Na und?«
»Ich habe Sie und andere nach Janinas Widersachern gefragt. Gefunden habe ich zwei. Frau Schubert und Beate Grammelein. Alle anderen, auf die ich im Verlauf der Ermittlungen gestoßen bin, sind von Ihnen enttäuscht und beleidigt worden. Feinde haben Sie sich gemacht, nicht Ihre Tochter.«

»Aber die hat man getötet …«

Er schaute in Simoschs Augen, wurde nachdenklich. Langsam begriff er Simoschs Gedankengänge und schüttelte den Kopf. Aus seinem Blick sprach Furcht.

»Wer hat Sie am meisten gehasst?«, fragte Simosch.

10

Der Tag, an dem Janina Wöhler beerdigt wurde, begann mit dichtem Schneefall. Im Verlaufe des Vormittags ließen die Niederschläge nach, es klarte auf. Als der Sarg in die Erde gesenkt wurde, brach die Sonne durch.

Janina hatte man im Gegensatz zum alten Schuhmacher Reinold inmitten farbenprächtiger Plastblumen aufgebahrt. Als der Sargdeckel zuklappte, schloss Wöhler die Augen, als gäbe es nun für ihn nichts mehr zu sehen auf dieser Welt.

Es war eine große Trauergemeinde, die sich auf dem Friedhof eingefunden hatte. Aus Wüstenstein-Süd fehlte fast niemand, Bekannte aus umliegenden Ortschaften nahmen an der Beerdigung ebenso teil wie Janinas Arbeitskollegen. Wöhlers ehemaliges »Schwälbchen« war gekommen. Eigenartigerweise stand sie neben Frau Grammelein und deren Tochter. Petra Kuhnert lehnte an Benjamin Balmers Schulter und weinte. Der ABV machte Simosch auf einen Mann aufmerksam, der sich am Rande der Menschenansammlung aufhielt. Er hatte etwas Verzweifeltes im Blick und schien unschlüssig, ob er bleiben oder weggehen sollte.

»Horst Schubert«, erklärte der ABV.

Das Begräbnis verlief ohne Zwischenfälle. Oberleutnant Simosch war sicher, dass auch der Mörder an Janinas Sarg trat – doch die Wunde blutete nicht. Sicherlich reichte er auch dem Vater seines Opfers die Hand. Wöhler musste viele Hände drücken. Er sah niemandem ins Gesicht.

Auf Simoschs Geheiß hin bat der ABV Herrn Schubert, vor dem Friedhof zu warten. Simosch blieb bis zuletzt neben der offenen Grabstätte stehen, bis Lukas Weitling Erde in die

Grube warf. Er arbeitete schweigend, ohne den Oberleutnant zu beachten.
Heute ist er ernst und ruhig, dachte Simosch. Hatte Wöhler ihn so tief verletzt, dass er ihm aus Rache das Liebste vernichten musste?
Als Simosch sich zum Gehen wandte, sagte Weitling: »Für einen Hellseher tappten Sie ziemlich lange im Dunkeln.« Horst Schubert lehnte an der Friedhofsmauer, das Gesicht der Sonne zugewandt. Der Oberleutnant stellte sich vor und sagte, er habe ein paar Fragen an ihn. Schubert nickte. Er war so groß wie Simosch, schlank, trug einen schmalen Oberlippenbart, hatte bernsteinfarbene Augen und etwas vorspringende Backenknochen. Ein markantes Gesicht. Sie schlugen den Weg ein, der an der Kirche vorbei dorfauswärts führte.
»Haben Sie einen Verdacht, wer es getan haben könnte?«, fragte Simosch.
Er schüttelte den Kopf.
»Bitte, denken Sie genau nach, ob Janina Ihnen gegenüber von einer Gefahr gesprochen hat, von einem Menschen, den sie fürchtete, der ihr übel will.«
»Davon ist nie die Rede gewesen.«
»Hat sie manchmal von ihrem Vater gesprochen?«
»Das ja. Sie sagte, er sei der beste und dümmste Papa, den es geben könne.«
»Wieso?«
»Sie meinte, er verstehe nicht zu leben. Immerzu schaffen, immerzu raffen. Für sie. Er kapiere nicht, dass sie sich nicht viel mache aus all dem, was er da für sie zusammenträgt. Ich habe sie dazu angehalten, ihm dankbar zu sein. Mir geht's materiell auch nicht schlecht, aber ich habe mir alles selbst erarbeiten müssen. Da weiß man zu schätzen, was dieser Vater

für seine Tochter getan hat. Einmal habe ich ihr vorgehalten, dass ihr Leben ohne die Annehmlichkeiten von Gasheizung und Bad und Tiefkühltruhe doch ziemlich beschwerlich wäre. Das hat sie zugegeben und gelacht und gesagt, wenn ihr Vater für das Geld große Reisen machen oder es mit einer Frau durchbringen würde, wäre ihr das auch recht.«

»Hat sie das auch ihrem Vater angetragen?«

»Versucht hat sie es. Er hielt es für Kindergeschwätz. Sie sagte: der arme, gute Papa. Wenn er mal nicht mehr ist, ziehe ich fort aus dem Krähwinkel. Ich denke, überall in der Welt ist's lustiger als in Wüstenstein. Aber das darf ich ihm nicht sagen. Sonst hat er keine Freude mehr am Leben.«

»Hat sie von Menschen gesprochen, die ihren Vater hassen?«

Er überlegte ein Weilchen. »Nicht, dass ich wüsste. – Tut mir leid, dass ich Ihnen keine Hilfe bin. Aber ich weiß nur, wer Janina nicht umgebracht hat.«

»Auf Sie fällt keinerlei Verdacht«, sagte Simosch. »Ihr Alibi ist unanfechtbar.«

»Ich meine nicht mich, sondern meine Frau.«

»So, da sind Sie sich also sicher. Obwohl Ihre Frau kein Alibi besitzt.«

»Sie kennen sie nicht. Sie hätte mich getötet, nicht das Mädchen. Sie hat mich leben lassen, aber einen Schuldspruch über mich gefällt.«

»Schuldig gemacht haben Sie sich selbst, meine ich. Sie haben sie belogen.«

Horst Schubert lächelte wehmütig.

»Belogen! Ich bin den Reizen eines hübschen Mädchens gegenüber schwach geworden. Das ist alles. Darf man denn einen Menschen so einseitig beurteilen? Nur in seinen Beziehungen zu einer anderen Frau? Weder meine Arbeit noch irgendeine Pflicht habe ich vernachlässigt. Ich habe durch Janina meine Ehe neu gesehen. Sie war ziemlich ausgetreten. Man hätte gemeinsam neue Pfade einschlagen können. Glauben Sie mir, ich habe mich meiner Frau nie so schmerzlich verbunden gefühlt, wie in dem Augenblick, als sie in Balmers Zimmer trat. Da wusste ich, dass mich kein Mensch so tief und ausschließlich lieben wird wie Annette, meine Frau. Aber ich habe in ihren Augen auch den stummen Anspruch gesehen, den sie auf mich erhebt, und begriffen, dass es das war, was mich Janina gegenüber hat schwach werden lassen. Es war ein Sich-Wehren gegen Annettes Verfügungsgewalt über mich. Ich hatte ein Stück ihres Lebens zu sein, ihre Gedanken zu denken, ihren Gefühlen Rechnung zu tragen.«

»Sie wussten, dass Janina Sie eines Tages wieder verlassen würde?«

»Vielleicht habe ich mich nur mit ihr eingelassen, weil ich das wusste. Ich hatte doch nicht die Absicht, meine Ehe aufzugeben. Aber Janina, die war für einen Mann Erholung von falschen Gefühlen. Sie hielt nur immer den Mann im Arm, den sie auch meinte.«

»Sie sind damals Ihrer Frau sofort nachgegangen?«

»Ja. Ich war bereit, Janina von Stund an aufzugeben. Wollte mich mit Annette aussprechen. Es hätte alles gut werden können. Besser als vorher. Vorausgesetzt, sie hätte mir verziehen. – Sie kann es nicht.«

»Ich weiß«, sagte Simosch. »Ich kenne ihre Ansichten.«

»Ihre Gründe, warum sie nicht mehr mit mir leben will, sind sehr moralisch, nicht wahr? Und ihre Konsequenz deutet auf einen sauberen Charakter. Das Recht ist auf ihrer Seite. Sie hatte leider so recht, dass ich mit meiner Liebe nicht dagegen angekommen bin.«

»Ist das endgültig?«, fragte Simosch. »Will sie sich wirklich scheiden lassen?«
»Sie hat schon alles in die Wege geleitet. Ich habe aus Schwachheit einen Fehler begangen. Zur Schuld wird er erst durch sie, weil sie nicht verzeiht, sondern mich verlässt. Irgendwie kann ich sie aber auch verstehen, denn ich bin nicht der gewesen, den sie in mir gesehen hat.«
»Sie lieben sie noch immer?«
»O nein. Jetzt hasse ich sie. Ich hasse sie, weil sie meiner Liebe ihr Recht und ihre unantastbare Moral entgegengestellt hat. Es ist ein eindeutiger und ehrlicher Hass, so unverfälscht wie mein erstes Liebesgefühl ihr gegenüber war.«
»Ich hoffe, Sie kommen darüber hinweg«, sagte Simosch. Sie hatten sich wieder dem Dorf zugewandt und gingen langsam den Weg zurück. »Ich meine, diese Hoffnung ist berechtigt. Sie selbst haben von Lebensbereichen gesprochen, die mindestens ebenso wichtig sind wie die Beziehung zu einer Frau.«
»Außerdem stirbt man nicht an Hass«, fügte Schubert hinzu. »Man geht nur zugrunde vor Gram. Und der Gram ist auf der Seite meiner Frau.«
Sie verabschiedeten sich vor der Bärenschänke, wo Schuberts Auto parkte.

Die Gaststube war überfüllt. Oberleutnant Simosch drängte zu seinem Ecktisch durch. Mit Frau Liselotte Tonicke, Wöhlers ehemaligem »Schwälbchen«, hatte er verabredet, sich hier zu treffen. Sie wartete bei einem Grog auf ihn.
»Das ist eine gute Idee«, sagte Simosch und sah sich nach der Bedienung um.
»Da werden Sie Geduld haben müssen«, meinte Frau Tonicke.

»Heute sind die hier überfordert. Und die Petra ist erst nach Hause, sich umziehen.«
Die Wirtsleute eilten mit Tabletts voll heißer Würstchen, Tee, Kaffee und Grog von Tisch zu Tisch. Es fand kein offizieller Leichenschmaus statt, wie es der Brauch forderte. Hermann Wöhler war vom Friedhof aus sofort nach Hause gefahren, und jeder akzeptierte sein Verhalten. Janina und ihr gewaltsamer Tod waren die Gesprächsthemen. Doch Simosch hatte nicht den Eindruck, dass man den Mörder in der Nähe glaubte, oder Nachbarn und Bekannte verdächtigte, die Tat begangen zu haben.
»Was erzählt man sich denn hier über den Mord?«, fragte er die Frau an seinem Tisch.
»Manche schimpfen auf Wöhler, weil er sie bei dem Sauwetter hat mit dem Rad fahren lassen. Andere meinen, die Janina hat sich von keinem was sagen lassen, auch nicht von ihrem Vater. Und vielleicht ist sie nicht ganz unschuldig an der Sache. So wie sie gelebt hat. Wer weiß, was sie in der Stadt alles für Bekanntschaften hatte. Vielleicht hat einer vor Eifersucht rot gesehen und ihr aufgelauert.«
»Verdächtigt man keine Einheimischen?«
»Ach wo. Wir kennen uns doch. Und ich meine nicht nur die Wüstensteiner. Alle aus den umliegenden Dörfern, die zur LPG Frohe Zukunft gehören, kennen sich untereinander. Ein Mörder wäre da schnell ausgemacht. Auch über einige in Markhausen weiß man Bescheid, aber das ist schon Stadt, und da gucken wir nicht mehr durch. Dort könnte sich so einer versteckt halten.«
»Gibt es einen bestimmten Verdacht?«
»Überhaupt nicht. Die meisten nehmen sowieso an, das ist ein Irrer gewesen. Ich denke das auch. So was macht doch kein normaler Mensch!«

»Und wo kommt hier plötzlich ein Irrer her?«

»Vor Jahren ist mal einer aus der Anstalt in der Kreisstadt ausgebrochen. Das hat sogar in der Zeitung gestanden. So was kann wieder passiert sein. Oder es war einer, den sie noch gar nicht eingesperrt haben.«

»Frau Tonicke, Sie waren längere Zeit mit Hermann Wöhler befreundet, haben auch in seinem Haus gelebt. Wie schätzen Sie ihn und seine Tochter ein?«

»Heute anders als damals«, erwiderte sie. »Damals: solider Mann, der seine Tochter allein großzieht. Arbeitsam, tüchtig, mit handwerklichen Fähigkeiten, hat Haus und Hof. Was fehlt, ist einzig und allein eine Frau. Als sparsam galt er auch – seit er aus dem Krankenhaus zurückkam, vorher war er etwas abgerutscht –, aber nicht als geizig. Er hat mir gleich meine Schwalbe flottgemacht, und die war wirklich flügellahm gewesen! Da fehlten ein paar Ersatzteile, die einfach nicht zu haben waren.«

»Hermann Wöhler konnte sie besorgen?«

»Ein Mann hat in dieser Beziehung ganz andere Verbindungen. Hanne arbeitete in der Fahrbereitschaft und kannte eine Menge Leute mit den verschiedenartigsten fahrbaren Untersätzen.«

»Mit Janina sind Sie zurechtgekommen?«

»'n nettes, aufgewecktes Mädel. Bissel zu aufgeweckt für meinen Geschmack – Sie wissen, wie ich's meine –, aber das ging mich nichts an. Hanne und sein Schwälbchen, wir waren ein ganz ideales Paar.«

»Sie sind das aber nicht geblieben.«

»Jetzt sehe ich die Sache anders: Hanne ist nicht geschaffen fürs Zusammenleben. Er kann sich nicht anpassen. Er lässt sich nichts sagen. Geschweige denn, dass er einen Fehler zugibt oder sich ändert, wenn man was aussetzt an ihm. Ich habe viel Geduld aufgebracht, um ihm ein paar Manieren beizubringen. Meine Kraft und mein Einfluss haben nicht ausgereicht. Aber andere haben's auch nicht geschafft, wie ich sehe.«

»Sie haben ihn verlassen?«

»Ich musste. Sein Benehmen, was mich gestört hat, hat eines Tages die Janina übernommen. Aber wie! Da lag die Schmutzwäsche in der ganzen Wohnung verstreut, da wurde beim Essen gelesen, gekrümelt, gekleckert, und wenn ich zur Ordnung gemahnt habe, kriegte ich von Janina zu hören: Ich will nicht deine Ordnung, ich will's gemütlich. Sie hat mich richtig rausgeekelt. Aber dahintergesteckt hat Hanne. Da fress ich 'n Besen! Der lässt sich nämlich nicht auf Auseinandersetzungen ein. Der findet immer jemanden, hinter den er sich verkriechen kann. In dem Fall war's Janina.« Sie trank ihren Grog aus. »Nun hat er keine Janina mehr. Ich glaube, der geht kaputt dran.«

Simosch fragte sie, wo sie sich am Morgen von Janinas Tod aufgehalten habe. Sie war noch im Urlaub gewesen. In einem FDGB-Heim. Er bedankte sich für ihre Auskünfte und verabschiedete sich.

»Nun haben Sie aber gar keinen Grog gekriegt!«, rief sie ihm nach.

Noch ehe er die Tür zum Treppenhaus erreichte, betrat die Kellnerin die Schankstube. Sie sah blass aus und hatte verweinte Augen. Die Wirtsfrau rief sie zur Theke.

»Hier ist 'ne Geldanweisung für deinen Beni gekommen.«

»Geldanweisung? Hierher?«

»Nun werd nich zickig, Mädel! Der Postfritze hat gedacht, er trifft dich gestern hier an. Aber du hattest schon Feierabend, und er hat sich festgesetzt und hatte das Ding noch in der Tasche. Na, du kennst ihn ja.«

Sie reichte der Kellnerin eine Postanweisung. Petra Kuhnert las sie und drehte sie um und las wieder.

»Wir haben nichts abgehoben davon«, sagte die Wirtin schnippisch.

»Hat keiner behauptet.«

»Brauchst nicht danke zu sagen, dass wir's für deinen Beni entgegengenommen haben, aber dumm zu tun brauchst du deshalb auch nicht!«

Petra Kuhnert steckte das Papier in die Schürzentasche und wollte sich den Gästen am nächststehenden Tisch zuwenden.

»Stimmt was nicht?«, fragte Simosch schnell, ehe sie die erste Bestellung aufnehmen konnte.

»Ich weiß nicht. Wahrscheinlich doch. Ich dachte nur, ich kenne Benis Freunde.«

»Darf ich mal sehen?«

Sie zog die Anweisung wieder aus der Schürzentasche, reichte sie dem Oberleutnant und notierte inzwischen Bestellungen. Es war eine Anweisung über fünfzig Mark. Für Benjamin Balmer bei Fräulein Petra Kuhnert. Fräulein Kuhnerts Adresse. Absender Heinz Goldmann aus Vogelsgrün.

»Augenblick noch!«

Simosch bewegte sich wieder zum Ecktisch. Frau Tonicke drückte eben dem Wirt das Geld für ihren Grog in die Hand. Simosch staunte. Hier bedankte man sich auch für ein paar Pfennige Trinkgeld.

»Frau Tonicke, Sie wohnen doch in Vogelsgrün?«

»Von Kindheit an.«

»Und kennen alle, wie Sie behaupten.«

Ihr Blick drückte Missmut über seinen Zweifel aus.

»Wer ist Heinz Goldmann?«
Sie wiederholte den Namen. »Ich denke, Sie suchen jemanden aus Vogelsgrün!«
»Er wohnt Amselweg zwölf.«
»Hören Sie mal! Wollen Sie mich auf den Arm nehmen oder …«
Sie verstummte unter Simoschs Blick.
»Oder?«
»Der Amselweg geht auf die große Kuhweide raus. Da stehen rechts fünf und links sechs Häuser. Die Zwölf könnte vielleicht Krämers Hundehütte sein, falls die 'ne eigene Hausnummer besitzt. – Nützt Ihnen das was?«
»Danke«, sagte Simosch, und zur Kellnerin, die in seiner Nähe servierte: »Es gibt weder Nummer zwölf noch Heinz Goldmann. Ist alles in Ordnung mit Beni und Ihnen?«
Er gab ihr die Anweisung zurück.
»Ich denke schon – bis auf das hier. Aber das werde ich klären.«
»Was vermuten Sie denn?«
»Ich hab Angst, dass er sich wieder auf irgendwas Krummes einlässt.«
»Haben Sie einen Anhaltspunkt?«
»Nichts. Absolut nichts. Wir leben sehr gut miteinander. Und das möchte ich mir nicht kaputtmachen lassen.«

Frau Gudrun Ebel, der nach Hermann Wöhlers Aussage der Abschied ebenfalls schwer gefallen war und die noch immer allein lebte, hatte an Janinas Beerdigung nicht teilgenommen. Oberleutnant Simosch suchte sie am Nachmittag auf. Sie trug noch Lockenwickel im Haar und hatte eine Schürze über ein langes Hauskleid gebunden.
»Ach du liebe Zeit«, sagte sie, als Simosch sich vorstellte.

»Kommen Sie rein, nehmen Sie Platz, ich brauche nur 'n Augenblick, um mich besuchsfein zu machen.«
Sie führte Simosch ins Wohnzimmer. Er registrierte: Standardeinrichtung. Schrankwand, Radio, Fernseher auf der einen, Couch, Tisch, zwei Sessel und Stühle auf der anderen Seite, an der Wand über der Couch Landschaftsbild in Öl mit Goldrahmen. Neben dem Fenster der Gummibaum. Er nahm in einem der Sessel Platz, auf dessen Armlehne schon viele Arme geruht haben mussten. Er war abgewetzt und ein wenig speckig.
Als sich Frau Ebel ihm gegenübersetzte, war sie frisiert, gekleidet mit eng anliegendem Rock und einem schwarzen, weit ausgeschnittenen Pullover. Auf ihren Lippen lag dezentes Rouge. Die Fältchen an den Mundwinkeln wirkten grämlich. Sie zog die Lippen leicht nach unten.
Das angenehmste in diesem Haushalt erschien Oberleutnant Simosch der Duft von frisch gebackenem Kuchen.
»Sie schnobern so nach der Küche hin. Es ist idiotisch, aber ich backe jeden Samstag Kuchen, in der Hoffnung, dass Besuch kommt. Dabei glaube ich nicht daran, dass jemand auftaucht. Es ist wie mit einem Gebet, man bittet, erlöse mich von dem Bösen, aber man glaubt nicht daran, dass Böses von einem ferngehalten wird. – Kriminalpolizei, sagten Sie? Das klingt auch nicht gerade verheißungsvoll.«
Er habe ein paar Fragen, Hermann Wöhler und seine Tochter betreffend, erklärte Simosch. Die Gramfältchen um ihre Mundwinkel vertieften sich. Sie stand auf, bedeutete Simosch mit einer Handbewegung, er möge sitzen bleiben.
»Darüber können wir uns auch bei Kaffee und Kuchen unterhalten. Brauche ich am Sonntag nicht alles allein in mich reinzustopfen.«

Sie verschwand in der Küche, Geschirr klapperte, sie trug ein Tablett ins Zimmer, deckte mit flinken Händen einen Kaffeetisch und schnitt den Apfelstrudel an. Hantierungen, die ihr Freude machten. Sie wirkte heiter. Als sie Simosch Kuchen aufgelegt und Kaffee eingeschenkt hatte, nahm sie wieder Platz und sagte schnell: »Lassen Sie uns erst ein Stück in Ruhe und mit Genuss essen, bevor wir von Wöhler sprechen.«

Simosch schmeckte der Kuchen ausgezeichnet. Ihm fiel auf, dass sie von Wöhler sprach. Schwälbchen hat ihn Hanne genannt.

Nach einer Weile sagte sie unvermittelt: »Ich weiß nichts über Wöhler.«

»Nanu? Sie haben in seinem Haus gelebt.«

»Das will nichts heißen.«

»Was ist er für ein Mensch? Was hat er für Schwächen, für Interessen, für Empfindsamkeiten?«

»Um das zu wissen«, sagte sie, »muss man intim sein miteinander. Das waren wir nicht. Wir haben nur gebumst.«

Für einen Augenblick verschlug es Simosch die Sprache. »Aber – Sie fanden das wohl eine Zeit lang in Ordnung so?«

»Ich habe es nie in Ordnung gefunden, nur gehofft, dass es anders werden könnte. Pech gehabt. Von einem Betonklotz kann man nicht erwarten, dass er Rosenblüten treibt. Wöhler kennt bloß materielle Interessen: den nächst größeren Wagen, dicke Teppiche, moderne Küchengeräte …«

»Er hat es für seine Tochter getan.«

»… und niemand freut sich dran. Weder er noch die Tochter.«

Da Simosch ein ungläubiges Gesicht zog, fügte sie hinzu: »Sie haben die Annehmlichkeiten akzeptiert. Mehr nicht. Ich meine, sich freuen über etwas, so von innen heraus, das habe ich im Hause Wöhler nicht kennengelernt. Es lag immer etwas Beklemmendes in der Luft. Man kann sich vor diesem Mann nicht frei entfalten. Man dringt nicht zu seinem Herzen vor. Es gibt keine geistige Gemeinschaft. Auch keine Zärtlichkeit. Eine Frau ist für ihn nur ein Selbstbedienungsladen für sexuelle Bedürfnisse.«

»Sind Sie deshalb weg von ihm?«

»Er hat mich durch seine Tochter vergraulen lassen. Wenn er denkt, dass ich das nicht mitgekriegt habe …!«

Sie lachte verächtlich und bitter.

»Weshalb wollte er sie verabschieden?«

»Er hat mich mit Feinkostware gefüttert und mir Exquisit-Stiefel geschenkt. Ja, er war großzügig. Aber er hat es nicht vertragen, dass ich nach etwas verlangte, was er nicht bieten konnte: Zärtlichkeit, Geborgenheit, sich innerlich verbunden fühlen.«

»Man hat seine Tochter umgebracht«, sagte Simosch, »und er ist seitdem nur noch ein Wrack.«

»Ja«, sie zog das Wort in die Länge, »Janina ist seine verwundbare Stelle gewesen.«

Eine Vermutung, wer das Mädchen getötet haben könnte, hatte sie nicht. Sie konnte für die Zeit des Mordes auch kein Alibi erbringen. Als sie Simosch zur Tür begleitete, sagte sie: »Ich habe sie nicht umgebracht. Sie hat mir nichts getan. Und Menschen wie Wöhler – davon gibt's mehr als genug. Ich gehe ihnen aus dem Weg, backe samstags Kuchen und füttere mir sonntags Kummerspeck an.«

11

Hermann Wöhler fuhr den Mazda in die Garage, schloss ab und ging hinüber zum Haus. Vom Gartentor her rief der Postbote nach ihm.

»Sei so gut, Hermann, und leere mal deinen Briefkasten. Sonst muss ich dir ja die Post vors Tor in den Schnee legen. Und entschuldige, dass ich nicht zur Beerdigung gekommen bin. Siehst ja, ich muss Dienst schieben.«

Er tippte mit dem Finger an die Mütze und ging weiter. Wöhler trottete zum Gartentor, nahm Zeitungen und einen Stapel Post aus dem Kasten. Die meisten Karten und Briefe waren schwarz umrandet, einige zerknittert, zerdrückt. Er trug alles ins Haus und warf es auf die roten Schaumgummikissen seiner rustikalen Sitzecke nieder. Mit mechanischen Griffen stapelte er links auf dem Tisch Zeitungen, rechts Brief- und Kartenpost.

Zeitungen: Staatsbesuche. Kältewelle über … Terrorregime in … Protest gegen … Er überflog nur die Überschriften und auch die nicht bis zum letzten Wort. Sozialistische Hilfe. Friedenskampf. Brüderlich verbunden mit … Nichts, was ihn berührte. Massendemonstration. Hohe Ehrungen für … Zum Tode verurteilt …

Das bin ich. Zum Tode verurteilt. Weshalb? Von wem? Wenn das stimmt, was der von der Polizei angetippt hat: Das Mädel umgebracht, um mich zu treffen. Dass ein Mensch sich so was ausdenken kann! Dabei habe ich nichts gemacht, was ein anderer an meiner Stelle nicht auch getan hätte. Aber selbst wenn ich was verbrochen hätte, warum ist keiner mit dem Messer auf mich losgegangen? Um mich leiden zu lassen?

Das hat er geschafft, der Lump. Der? So hinterhältig kann vielleicht nur ein Weibsbild sein. Womöglich die von dem Kerl, mit dem das Mädel ins Bett gegangen ist? Die kennt mich nicht. Die hätt's wirklich nur aus Eifersucht getan. Wenn's so einfach wäre, hätt's der Oberleutnant schon rausgekriegt. Mit Weibsbildern hab ich mich in letzter Zeit nicht rumgetrieben. Bleibt nur die Grammelein. Hat dem Mädel ihren Lebenswandel vorgehalten, sagt der Oberleutnant, und sie sind aneinandergeraten. Grammelein, die Moraltante, in ihrer Wirtschaftswaren-HO die Redlichkeit in Person. Dann ein Mord. Wie passt das zusammen?
Er schob die Zeitungen beiseite, sah die Post durch. Zwei Kartengrüße waren für Janina gekommen. Einer aus der Hohen Tatra, einer aus der Lausitz. Von den Beileidsschreiben las er nur die Absender. An einige, die da tiefes Mitleid mit ihm empfanden, vermochte er sich kaum noch zu erinnern. Arbeitskollegen, Bekannte, Nachbarn. Petra Kuhnert und Benjamin Balmer.
Wöhler starrte auf die schwarzumrandete Karte.
Petra Kuhnert war Janinas Freundin gewesen. Sie war auch Benis Freundin. Er hatte Beni nichts getan. Jemandem nicht helfen oder ihm was antun, da besteht doch ein himmelweiter Unterschied. Man erzählte, Beni hätte der Knast ganz schön mitgenommen. Da kommt der doch nicht raus und sticht ein Mädel ab, um zeitlebens wieder reinzugehen!
Die Wirtsleute der Bärenschänke bezeigten ihre Ergriffenheit und Frau Tonicke, die einst sein Schwälbchen war. Auch der flinke Albrecht hatte seine Anteilnahme zu Papier gebracht. Auf dem nächsten Absender stand Weitling. Tiefempfundenes Mitgefühl. Mathilde Weitling und Sohn Lukas. Aber der

hatte nicht selbst unterschrieben, war nur von der Mutter erwähnt.

Wenn er nicht mit dem Mädel geschlafen hätte, der Luki! Hat's nie leiden können, dass ich ihn so nenne. Namensverschandelung. Und klingt so herablassend. Sollte es ja auch. Hab immer Abstand gehalten zu solchen, die nicht hochzukommen verstehen. Spricht gegen mich. Gegen mich spräche mancherlei, hat er gemeint. Der hat mir viel zu tief in die Karten geguckt für einen, der nicht mitspielt! Nun habe ich die Quittung. Untersuchungen in der Fahrbereitschaft. Sollen sie untersuchen, bis sie schwarz werden. Mich juckt's nicht. Geht mich nichts mehr an. Alles, was mich auf dieser Welt noch interessiert, ist, wer das Mädel auf dem Gewissen hat! Überlegen soll ich mir, wer mich am meisten hasst, hat der Oberleutnant gesagt. Der Luki. Ganz bestimmt. Die Tochter lieben, den Vater hassen. Doch, so was soll's geben. Seine Augen, als ich ihm klargemacht habe, es ist gegen die Vorschrift, die Mutter im Schweinebarkas mitzunehmen! Man sagt, wenn Blicke töten könnten … Aber ich lebe. Das Mädel ist tot! – Kündigen hat er gewollt, und ich dachte, das ist nicht gut. Der weiß zu viel und hat 'n Rochus auf mich. Gehaltserhöhung hab ich ihm angeboten. Er hat bloß gelacht. So richtig aufs hohe Ross hat er sich gesetzt und mich von oben runter ausgelacht. Immer mit einem Blick, der nichts Gutes verheißen hat. – Die Kündigung war sauber. Die kann jeder einsehen. Bloß das Grinsen, das hämische, mit dem er den Wisch auf den Tisch gelegt hat! Da wusst ich, der ist noch nicht fertig mit mir. Ich brauche keinen Schiss zu haben, hat er gesagt, an mir wird er sich die Hände nicht dreckig machen. Hermann Wöhler stieß die Karten von sich, vergrub den Kopf in beide Hände.

»Der Lump! Nein, der hat sich nicht dreckig gemacht an mir. Der hat's mir heimgezahlt am Mädel!«

Oberleutnant Simosch benutzte den Morgenbus, um nach Markhausen zu fahren. Wie eh und je hielt der flinke Albrecht seine Sprechstunde ab, ermahnte zum Streuen, erinnerte an eine Versammlung, hörte sich Vorschläge und Beschwerden an.
Als er einen Augenblick ohne Gesprächspartner stand, trat Simosch zu ihm und fragte, wie gut sich eigentlich Lukas Weitling und Benjamin Balmer kannten. Eine dicke Freundschaft sei das nie gewesen, meinte der ABV. »Und daran ist nichts Besonderes. Beni arbeitet als Maurer in Markhausen und wohnt auch dort oder in Wüstenstein bei seiner Petra. Lukas wohnt in Süd. Abgesehen von Benis achtzehn Monaten Haft, wo sie sich nicht treffen konnten, sprächen auch Altersunterschiede und Charaktereigenschaften gegen eine enge Freundschaft.
Überzeugend fand Simosch das nicht. Schließlich hatte Beni Balmer mit dem weitaus älteren Hermann Wöhler auf vertrautem Fuße gestanden. Verbindungsglied: gemeinsames Interesse an Fahrzeugen. Ein Interesse, das auch Lukas Weitling nicht abzusprechen war.
Da Simosch ein skeptisches Gesicht zog, sagte der Wachtmeister: »Nicht, dass sie sich aus dem Weg gehen. Wenn sie sich in der Schänke treffen, trinken sie ein Bier zusammen.«
»Ist das in letzter Zeit der Fall gewesen?«
Albrecht überlegte und schüttelte den Kopf. Der Bus rollte an, hatte schon am frühen Morgen Urlauber mitgebracht. Koffer wurden ausgeladen, Skier herausgereicht, dann stiegen die neuen Fahrgäste zu. In letzter Minute kam Benjamin

Balmer angerannt und sprang auf. Simosch stand zu weit von ihm entfernt, um ihn ansprechen zu können. In Markhausen, als sie ausstiegen, holte der Oberleutnant ihn ein.
»Hat Ihre Freundin wegen der Postanweisung mit Ihnen gesprochen?«
»Hat sie. Geht alles klar.«
»Der Absender existiert nicht.«
»Existieren tut er schon. Aber er gehört zu denen, die mit Beni Balmer nicht mehr in Verbindung gebracht werden wollen, seit er gesessen hat.«
»Wöhler?«
»Der nicht. Mir soll sonst was passieren, wenn ich nicht die Wahrheit sage. Warum wollen Sie wissen, wer seine Schulden bei mir abzahlt? Da ist doch nichts Verbotenes bei.«
»Wann hatten Sie denn das Geld verborgt?«
»Schon lange bevor ich aus dem Verkehr gezogen wurde. Habe damals einem Kumpel geholfen, als er was brauchte. Aber wie gesagt, jetzt ist ihm die Sache peinlich. – Können wir einen Schritt zulegen? Ich komme sonst zu spät.«
»Ist schon gut«, sagte Simosch, »ich muss in eine andere Richtung.«
Er sah Balmer nach, der schnell davonging, einen Kollegen einholte und ihn mit Schulterschlag begrüßte. Ich bin nahe dran, dachte Simosch, leider noch immer nicht nahe genug. Aber die richtige Spur habe ich aufgenommen. Er ging zur Mozartgasse acht. Diesmal war nur Vater Balmer zu Hause. Er erkannte den Oberleutnant und bat ihn ins Haus. Kein Duft von Rosenkohl, stellte Simosch bedauernd fest. Geruch von Zigarrenrauch hing im Wohnzimmer. Im Ascher lagen zwei Stummel. Vater Balmer griff nach der Zigarrenschachtel, legte sie aber beiseite, als er Simosch anblickte.

»Ich seh schon, Sie mögen's auch nicht. Wie meine Frau. Vormittags, wenn sie nicht da ist, genehmige ich mir eine oder auch mal zwei. Dann ist Schluss für'n ganzen Tag. – Gibt's wieder was mit Beni?«
Er hielt sofort die Hand hinters Ohr, um Simoschs Antwort aufzufangen.
»Keine Klagen. Arbeitet, lebt solide, kümmert sich um Petra und das Kind.«
Balmer nickte.
»Ich wusst's doch, der fängt sich. Hat 'n guten Kern. – Um was geht's denn?«
»Um einen seiner früheren Bekannten. Um den, der ihm manchmal Geld schickt.«
»Will er seine Schulden nicht abzahlen?«
»Was waren denn das für Schulden?«, fragte Simosch zurück.
»Das weiß ich nicht. Als der Beni weg musste, hat er gesagt, ein Kumpel würde ab und zu Geborgtes abstottern. Wir sollten's aufheben für ihn.«
»Wissen Sie seinen Namen?«
»Nein. Aber das haben wir gleich. Beni hat nur sein Geld mitgenommen. Und wie ich meine Frau kenne, hat sie die Belege aufgehoben. Die hebt alles auf.«
Er musste nicht lange suchen.
»Goldmann heißt er.«
Simosch sah die Belege durch. Neun Stück. Die erste Zahlung wurde kurz nach Benjamins Inhaftierung geleistet. Dann regelmäßig jeden zweiten Monat. Achtzehn Monate Haft, neun Einzahlungen zu je fünfzig Mark. Die zehnte Einzahlung aber war nach Wüstenstein adressiert worden. Der Absender gab immer denselben Namen an, zahlte das Geld aber in verschiedenen Ortschaften ein.

»Das ist wohl ein Wandervogel?«, fragte Simosch. »Wohnt mal in Vogelsgrün, mal in Krummbach, in Heinersberg und Aschersgrün.«
»Ist mir nicht aufgefallen. Aber meiner Frau. Beni sagt, der geht auf Montage.«
Kann sein, dachte Simosch. Oder es haben mehrere an Beni was gutzumachen. Aber es hat ein und derselbe ausgefüllt. Mit verstellter Handschrift. Nicht eben gekonnt.
»Ich möchte das mal mitnehmen.«
Vater Balmer winkte ab. »Tun Sie's. Kein Mensch wird die Dinger vermissen. – Und mit Beni ist bestimmt alles in Ordnung?«
»Ich kann Ihnen nichts Gegenteiliges berichten.«
Balmer begleitete den Oberleutnant zum Gartentor.
In der Polizeidienststelle wartete der Leutnant, der die Diebstahlsaffären geklärt hatte, schon auf Simosch. Vor ihm lag Aktenmaterial.
»Ich denke, ich habe alles rausgefunden, was Sie wissen wollen. Notfalls können wir noch mal nachschauen. Sicherlich geht es mich nichts an, aber es wundert mich, dass Sie auf diesen alten, erledigten Fall Benjamin Balmer so versessen sind.«
»Man muss jeder Spur nachforschen. Eine führt zu dieser Diebstahlsgeschichte. Ob sie etwas bringt, weiß ich noch nicht. Vor Tagen hat mich nur Benjamin Balmers damalige Aussage vor der Polizei interessiert. Ich wollte wissen, ob er glaubhaft ist und was es ist, das er eventuell verschweigt. Aber alles hat übereingestimmt, was er Ihnen vor zwei Jahren und mir vor ein paar Tagen erzählte. Übrigens schickt ihm jemand seit seiner Inhaftierung regelmäßig Geld. Ein fingierter Absender. Schuldenabzahlung, sagt er. Ich nehme an, es handelt sich um eine besondere Art von Schulden. – Da hat

jemand was gutzumachen an ihm. Und nun interessiert mich erstens jeder, der damals in diesen Fall verwickelt war oder auch nur am Rande auftaucht, und zweitens, an wen Balmer die gestohlenen Teile veräußert hat.«
»Denken Sie schon an bestimmte Personen?«
»Hermann Wöhler zum Beispiel. Er war genau zu jener Zeit in der Lage, seiner Freundin, Lieselotte Tonicke, schwer zu beschaffende Teile in ihre Schwalbe einzubauen. Prüfen wir nach, ob solche Teile unter dem Diebesgut waren und wo sie abgeblieben sind. Vielleicht taucht der Name Wöhler nicht auf, sondern der eines Fahrers oder Mechanikers vom LPG-Fuhrpark. Wachtmeister Albrecht hat mir eine Liste zusammengestellt von allen, die damals in der Fahrbereitschaft beschäftigt waren.
»Gut«, sagte der Leutnant, »gehen wir ans Werk. Nach Personen, die am Rande auftauchen, habe ich den Fall auf Ihre Bitte hin durchgesehen. Geschädigte, Abnehmer. Ganz am Rande taucht Lukas Weitling auf. Als Leumundszeuge vor Gericht.«
Er schob Simosch ein Schriftstück zu. Lukas Weitling beteuerte, den älteren Benjamin Balmer aus der Wüstensteiner Bärenschänke zu kennen, und zwar als einen ruhigen, zurückhaltenden Menschen, mit dem sich reden lässt. Besonders über Fahrzeuge. Balmer habe ihm ab und zu ein Bier spendiert, sei aber nie in auffälliger Art großzügig gewesen. Betrunken habe er ihn nur einmal erlebt – aus Kummer wegen seines Mädchens. Über Moped-Ersatzteile, die er abzusetzen gedenke, sei in der Schänke nie gesprochen worden.
»Fünfminutenauftritt vor Gericht«, stellte Simosch fest.
»Ich sagte Ihnen ja, er taucht weit am Rande auf, sodass man ihn fast nicht dazurechnen kann.«

Er wollte das Blatt in die Akte zurückschieben.
»Halt«, sagte Simosch, »seine Unterschrift.«
Er legte die eingelösten Zahlungsanweisungen daneben.
»Verstehen Sie was von Handschriften?«
»Wenn's verbindlich wird, verlasse ich mich lieber auf die Experten.«
Sie verglichen Weitlings Unterschrift mit den Angaben auf dem Zahlungsabschnitt.
»Es ist zu wenig«, sagte Simosch, »selbst für die Sachverständigen.«
»Sein Geständnis, das er vor ein paar Tagen ablegte, hat er schriftlich formuliert. Er hat sich abends Papier und Stift geben lassen und wahrscheinlich gegrübelt, wem er wo und wann etwas vom Wagen abmontiert hat. Das alles liegt in der Originalakte. Noch ist sie hier. Heute Nachmittag sollte sie zum Gericht gehen.«
Simosch bat, sie zu holen. Wieder verglichen sie Schriften.
»Ich würde sagen: ja«, meinte der Leutnant nach einiger Zeit. »Verstellt zwar, aber von ein und derselben Person geschrieben.«
Oberleutnant Simosch pflichtete ihm bei, entschied, die Schriftstücke zur Begutachtung zu geben und die Staatsanwaltschaft zu informieren.
Dann prüften sie die Strafakte Benjamin Balmer. Seite für Seite. Von der ersten Notiz der Kriminalpolizei bis zum Urteilsspruch des Gerichtes. Auch Hermann Wöhler war vor Gericht als Leumundszeuge aufgetreten, hatte von ihrem Kennenlernen im Krankenhaus erzählt, nannte ebenso wie Lukas Weitling den Angeklagten einen ruhigen, gutmütigen Menschen, dem er Unredliches nie zugetraut hätte. Er habe sich für Kraftfahrzeuge aller Art interessiert und ihn im

Fuhrpark der LPG besucht. Nein, er habe gewiss nichts gestohlen von dort und auch nie eine Bemerkung fallenlassen, dass er etwas anzubieten habe.
Außer Lukas Weitling und Hermann Wöhler fanden sie keinen Namen, der für Simoschs Ermittlungen ein Zeichen setzte. Allerdings hatte Benjamin Balmer damals nicht alle Abnehmer seiner Ware namentlich genannt. Nach seinen Angaben waren Interessenten aufgetaucht, die er nie zuvor gesehen hatte. Geld und Ware wechselten den Besitzer, und jeder ging seiner Wege.
»Bei so was lässt man sich nicht den Personalausweis zeigen und notiert gegenseitig die Nummer«, hatte er vor Gericht ausgesagt.
»Mich wundert immer wieder, wie er alles allein bewerkstelligt hat«, sagte der Leutnant. »Hundertprozentig geglaubt haben wir ihm das zwar nicht, aber wir konnten ihm Mittäter nicht beweisen.«
»Und mich fasziniert, dass sich einer die Mühe macht, eine ganze Kanne voll Milch zu klauen und in sein Versteck zu schleppen, wenn er gar keine Milch trinkt!«
Oberleutnant Simosch schickte einen seiner Mitarbeiter auf die Postämter, in denen jemand unter dem Namen Heinz Goldmann Geld für Benjamin Balmer eingezahlt hatte. Vielleicht erinnerte sich einer der Angestellten an den Kunden und vermochte einen Hinweis zu geben.

Am Abend schlug das Wetter um. Vom Süden zog milde Luft heran. Es taute. Nachts aber war es immerhin kalt genug, um den Schneematsch überfrieren zu lassen. Der Bus kroch vorsichtig den eisglatten Wüstensteiner Berg hoch und traf mit Verspätung ein. Im Ort aber konnte man trotz der

Glätte forsch und gefahrlos ausschreiten. Vor jedem Haus war gestreut. Die Wüstensteiner nahmen lieber diese Mühe auf sich, als sich mit ihrem ABV anzulegen.
Der stand wie gewöhnlich inmitten der Wartenden. Einer sagte, die Polizei könne sich ruhig etwas beeilen, um Janinas Mörder zu finden. Man fühle sich nicht sicher, solange der nicht hinter Schloss und Riegel sitze. Außerdem sehe der Hermann Wöhler so elend aus, dass es einem Hund jammern könne. Das würde auch nicht besser, wenn der Täter gefasst sei, meinte jemand, denn dadurch werde Janina nicht wieder lebendig.
»Heute früh ist Wöhler aber Richtung Wüstenstein«, sagte Schweineemil.
»Über die Fernverkehrsstraße mit dem Wagen?«, fragte Wachtmeister Albrecht.
Losmarschiert sei er, berichtete Emil. Habe ihm nicht mal einen Gruß zugenickt, wahrscheinlich gar nicht gesehen. Natürlich wisse er nicht, ob er wirklich bis Wüstenstein gelaufen sei. Vielleicht wollte er sich Unruhe abreagieren und ist auf Umwegen zur LPG.
Der Bus kam, die Leute stiegen ein. Wachtmeister Albrecht kehrte in sein Haus zurück und rief in Wüstenstein-Süd die Fahrbereitschaft der LPG an. Hermann Wöhler war zu Arbeitsbeginn nicht dort eingetroffen. Der ABV ging zur Bärenschänke hinüber. Der Umsatz des Schänkewirtes hing in einem Ort wie Wüstenstein weitgehend vom Wetter ab. An Tagen wie diesem, wolkenverhangener Himmel und überfrorener Schneematsch, zog es keine Urlauber nach Wüstenstein, weder die Wanderer noch die Skiläufer. Vielleicht würden am Nachmittag einige kommen, um das Bauernmuseum zu besuchen. Jetzt saß nur eine Familie in der Gaststube, die

sich außer Simosch hier einquartiert hatte. Der Oberleutnant frühstückte an seinem Esstisch.
»Ich weiß ja nicht, ob Sie's interessiert«, sagte der Wachtmeister, ohne den angebotenen Platz einzunehmen, »aber der Hermann Wöhler ist nicht zur Arbeit erschienen. Schweineemil hat ihn in Richtung Wüstenstein losstiefeln sehen. Mir will das gar nicht gefallen.«
Simosch enthielt sich jeden Kommentars, bedankte sich nur für die Information, und der Wachtmeister verließ das Gasthaus.

Hermann Wöhler hatte kaum geschlafen und war zeitig aufgestanden. Er ging von Zimmer zu Zimmer, strich durchs ganze Haus, Keller, Boden, Ställe. Bald schien es, als suche er etwas, dann wieder benahm er sich wie einer, der ein neues Anwesen in Besitz nimmt und neugierig seine Errungenschaft betrachtet. Manchmal mochte man auch meinen, er nähme Abschied. Seine klobigen Hände ruhten auf einem Spitzendeckchen. Plauener Spitze. Für Janina. Im Wohnzimmer strichen sie über ein Büfett, das noch seiner Mutter gehört hatte. Wenn es nach ihm gegangen wäre, hätte er es zu Feuerholz gehackt und ein neues, modernes gekauft. Janina aber gefiel das alte Möbel. Schließlich ging er in die Küche, braute sich einen Kaffee, setzte sich in die Bauernecke und schlürfte das heiße Getränk, ohne etwas zu essen. Sein Blick glitt über die Holztäfelung.
Für wen, dachte er. Janina ist tot. Alles ist tot. Auch ich.
Der Trieb, Lebensmöglichkeiten durchzuspielen, regte sich in ihm. Er stellte sich vor, er sei gestorben und Janina säße allein im Haus. Der Schmerz über ihre Traurigkeit würgte ihn. Doch er wusste, die Trauer würde vergehen, Dankbar-

keit aufkommen für ihn, den Vater, der ihr Leben materiell gesichert hatte. Vielleicht würde der Schock über seinen Tod Reife, Veränderung in ihrem Leben bewirken, so wie sein Aufenthalt im Krankenhaus ihn zur Besinnung gebracht hatte. Sie würde heiraten, Kinder bekommen. Er würde weiterleben in ihr, seinen Enkeln und in diesem Nest, für sie gebaut.

Er war erst ein Jahr über die Fünfzig. Es gab ältere Männer, die noch Kinder in die Welt setzten. Auch sein Fleisch wäre noch willig, aber er konnte kein zweites Mal Janina zeugen!

Er stellte sich vor, man hätte sein Haus vernichtet, ihm alles genommen, samt Stall und Vieh. Nur mit dem, was sie auf dem Leib trugen, säße er mit Janina auf der Erde. Er dachte, er würde von vorn anfangen, und lächelte, wie in einem Traum, der angenehme Gefühle vermittelt. Er spürte Kraft in sich, aufzustehen und zuzupacken. Ja, er würde das Nest noch einmal bauen. Janina zuliebe. Und er würde alles genauso anstellen, wie er es bislang getan hatte. Gefälligkeiten erweisen, wo sie sich auszahlten. Mit Mitteln, die ihm in die Hand gegeben waren. Und eine Hand wäscht die andere. So funktioniert das Leben. Alles andere ist Gefühlsduselei.

Man hatte ihm nicht Haus und Hof genommen, sondern Janina. Und das war das Ende. Nun blieb nur noch eins zu tun: den Vernichter zu vernichten. Eine Hand wäscht die andere. In seiner Situation hieß das: Auge um Auge, Zahn um Zahn. Menschenleben gegen Menschenleben.

Lukas Weitling schulterte die Skier, ging über die Straße und stieg den Hang zum Waldrand hoch. Von dort an konnte er auf leicht verharschtem Schnee fahren. In Wüstenstein war eine alte Frau gestorben, und er hatte ihr Grab auszuschaufeln. Unter Bewachung. Seit er aus der Untersuchungshaft entlassen war, ließen sie ihn nicht aus den Augen, machten auch kein Hehl daraus. Er hätte gern gewusst, ob sie wegen seiner Diebstahlsaffäre diesen Aufwand betrieben oder ob Oberleutnant Simosch über jeden seiner Schritte Bescheid wissen wollte. Was erhofften sie sich davon? Die Diebstähle hatte er rückhaltlos zugegeben. Es war das Beste so, da hatte dieser Simosch schon recht gehabt. Misstraute ihm der Leutnant trotzdem noch? Oder glaubte der Oberleutnant, er würde ihn auf die Spur des Mörders führen?

Kurz vor Wüstenstein knatterte ein Motorrad hinter ihm, kam näher, überholte. Weitling grinste. Wenn's plötzlich taut, dachte er, wird der im Dreck stecken bleiben. Und das kann meinetwegen bald passieren, denn das Wohlbefinden steigert so ein Begleiter keineswegs. Auf dem Friedhof brachte Lukas Weitling seine Skier in Sicherheit und zog Arbeitskleidung an. Dann ging er zu Janinas Grab. Am liebsten hätte er all die unechten Kränze und Blumen heruntergerissen, doch das kam ihm nicht zu. Er entfernte nur ein paar ausgeblichene Plastblumen und glättete Kranzschleifen, die der Wind zerzaust und verdreht hatte. Dann begann er zu schaufeln.

Einmal, als er hochblickte, sah er an einem weit entfernten Grab einen Mann stehen. Er glaubte den Motorradfahrer zu erkennen. »He«, rief er ihm zu, »das ist aber nicht Ihre Oma, die dort begraben liegt!«

Keine Antwort. Lukas Weitling stach den Spaten in die Erde und ging auf den Fremden zu.

»Langsam fallt ihr mir auf'n Wecker. Können wir das Verfahren nicht abkürzen? Sie sagen mir, warum Sie ein Auge auf mich haben, und ich erzähle Ihnen, ob da was dran ist oder nicht.«

Der Fremde blickte so verständnislos, dass Lukas unsicher wurde. Als der Mann ihm den Rücken zuwandte und langsam zum Ausgang schritt, kehrte Lukas zu seiner Arbeit zurück.

Wenig später bemerkte Lukas Hermann Wöhler. Er schritt auf das Friedhofstor zu. Der besucht Janina, dachte Weitling. Dann fiel ihm sein seltsam mechanischer Gang auf. Bewegte sich wie ein Roboter. Stutzig wurde Lukas erst, als er Wöhlers Blick erkennen konnte. Was ihm im Gesicht stand, war Irrsinn!

Lukas hatte von Amokläufern gehört. Jetzt sah er einen.

Wöhler stapfte näher, direkt auf Janinas Grab zu, war heran und schien darübertrotten zu wollen. Plötzlich hielt er inne.

»Luki!«

Auch seine Stimme klang verändert. Unbehagen stieg in Lukas Weitling auf. Ein Wahnwitziger, ein Kranker auf dem Friedhof, das fehlte ihm noch. Er sah sich um, aber außer Wöhler und ihm war kein Mensch weit und breit. Geschieht mir ganz recht, dachte Weitling sarkastisch, warum habe ich auch das Auge des Gesetzes verscheucht!

»Luki!«

»Ja, Herr Wöhler, was gibt's denn?«

»Das ist doch Janinas Grab?«

»Ja, das ist's.«

»Aber der Stein fehlt noch.«

Um den Grabstein geht's ihm, dachte der Junge. Das kann doch nicht wahr sein! Der ist wirklich übergeschnappt.

»Haben Sie denn schon einen bestellt?«

»Nein. Komm mal her, Luki. Passt ein großer Stein oder ein kleiner. Und was soll draufstehen?«

Lukas stieß den Spaten in die Erde und trat zu Hermann Wöhler an Janinas Grab.

»Die meisten lassen draufschreiben: Hier ruht in Frieden ...«
»Ja, das tut sie ja nun. Aber das ist nicht in Ordnung. Du hättest sie in Frieden leben lassen sollen.«
Er hob das Gesicht. In dieser Sekunde wusste Lukas Weitling, dass es ein Fehler gewesen war, Hermann Wöhler nahe zu kommen. Er wusste auch, dass er keine Chance hatte davonzulaufen, versuchte es dennoch. Wöhler griff zu. Griff zuerst seinen Arm, und ehe Lukas zu einem Schlag ausholen oder das Bein anziehen konnte, umklammerten die Hände seinen Hals. Hände wie Schraubstöcke.
»Sie in Frieden leben lassen und mir das Messer in den Hals stechen! Denn mich hast du doch gemeint! Hast mich nie ausstehen können. Wolltest dir aber die Hände nicht dreckig machen an mir ...«
Lukas vernahm nur noch ein Rauschen. Vor seinen Augen lag ein Schleier. Was er zuletzt sah, waren drei Wöhlers. Schattenhaft. Einer ähnelte dem Hellseher.
»Wöhler! Loslassen! Lassen Sie den Jungen los! Hände hoch!« Simosch zog die Pistole.
Wöhler starrte mit irrem Blick in den Pistolenlauf. Seine Hände gaben den Jungen nicht frei. Simosch schlug mit dem Pistolenlauf auf Wöhlers Oberarm. Der Arm baumelte wie ein leerer Schlauch. Lukas Weitling sackte neben dem Grab zusammen.
»Arzt! Los, schnell!«, rief Simosch seinem Mitarbeiter zu, der schon zum Ausgang lief. Der Oberleutnant legte Hermann Wöhler Handschellen an.

12

Den Diebstahl von Kfz-Teilen hätte man Lukas Weitling auch ohne Geständnis anlasten können. Für den Mord dagegen gab es nur Indizien. Oberleutnant Simosch musste entweder etwas aufdecken, was Weitling als Täter bestätigte, oder ihn zum Geständnis bewegen. Um die Ermittlungen auf ihn konzentrieren zu können, war es notwendig, die anderen, weniger Verdächtigen auszuschließen.

Er fuhr nach Vogelsgrün zur HO-Haushaltwaren. Die Leiterin, Frau Grammelein, war krankgeschrieben. Er stieg in die erste Etage hoch und klingelte. Die Frau, die ihm öffnete, war nicht mehr die beherrschte und entschlossene Grammelein. Als sie ihren Besucher erkannte, brach sie in Tränen aus. Das Zimmer, in das sie Oberleutnant Simosch führte, war gemütlich, die Blumenbank ein Blütenteppich von Azaleen und Alpenveilchen. Auch ihr Äußeres hatte Frau Grammelein nicht vernachlässigt, nur dass ihre Nerven versagten, dagegen war sie machtlos.

»Ich habe sie nicht umgebracht«, erklärte sie weinend, »und meine Tochter hat es auch nicht getan. Lukas hat sie weggeschickt. Das verwindet sie schwer. Als sie nach Hause kam, war sie ganz unten. So wie ich jetzt. In diesem Zustand ist man nicht mehr fähig, eine Tat wie einen Mord für sich zu behalten. Sie hätte sich mir anvertraut. Sie hat es auch getan. Manchmal bin ich so traurig, sagte sie, dass ich gar nicht mehr leben möchte. Nein, sie ist nicht der Mensch, der einen anderen umbringt, und wenn er ihr noch so wehgetan hat.«

»Hat sie sich wieder gefangen?«, fragte Simosch.

»Wenn jemand leidet, den sie liebt, vergisst sie ihren eigenen

Kummer. Jetzt sorgt sie sich um mich. Ich versuche, mich zusammenzureißen. Aber da ist etwas in mir, was ich nicht beeinflussen kann. War wohl einfach zu viel, was in letzter Zeit auf mich eingestürmt ist: der unfaire Abschied, den mir Hermann Wöhler beschert hat, Janinas Beleidigungen, ihr Tod und der Verdacht, dass ich sie umgebracht habe. Dazu Probleme mit der HO. Ich weiß nicht, wie ich zur Ruhe kommen soll.«

»Vielleicht hilft es, wenn Sie mir endlich alles über Hermann Wöhler und dessen Tochter erzählen. Ich beschuldige Sie nicht, mich belogen zu haben, aber verschwiegen, denke ich, haben Sie einiges.«

Das Reden schien sie zu erleichtern. Vieles, was sie vorbrachte, war Simosch bekannt. Doch sie gestand auch ein, Janina geohrfeigt zu haben, als sie von ihr mannstoll und Erbschleicherin genannt wurde.

»Und eines Morgens sah ich sie im Wald. Es nieselte, der Weg war aufgeweicht, und sie strampelte sich ab, um mit dem Fahrrad voranzukommen. Aber es lag so etwas Frisches, Kraftvolles in ihren Bewegungen. Sie drehte sich kurz um nach mir, als sie mein Motorrad hörte. Ein regennasses, unbekümmertes Gesicht. Ich war so voller Neid auf sie. Auf ihre Jugend und ihre Sorglosigkeit. Ein Mensch, der sich alles herausnehmen darf, dem alles gelingt. Ich bin langsam gefahren und immer dichter heran an sie. Anfangs hat sie das wohl als eine Art Sport betrachtet, wich aus, fuhr schnell, fuhr langsam, manövrierte herum, um von meinem Motorrad wegzukommen. Aber ich ließ es nicht zu. Ich drängte sie vom Weg. Sie hielt sich im Sattel, fuhr ein Stück durch den Wald, kam zum Weg zurück. Kaum war sie darauf, schob mein Krad sie wieder zur Seite. Und diesmal konnte sie nicht ausweichen. Neben dem Weg war ein Graben. Endlich stand ihr Furcht im Gesicht. Ich fuhr schnell davon. – Was ist das nur, was sich manchmal in einem Menschen breit macht? Ich schäme mich entsetzlich, wenn ich an diese Szene denke.«

»Sie haben allen Grund dazu«, sagte Simosch, »aber keine Veranlassung zu selbstzerstörerischen Grübeleien. Ist Ihnen an jenem Morgen außer Janina Wöhler noch jemand begegnet? Haben Sie etwas bemerkt, das Ihnen ungewöhnlich erschien?«

Sie hatte nichts bemerkt. Entweder weil es nichts wahrzunehmen gab oder weil sie zu sehr mit sich selbst beschäftigt gewesen war.

Oberleutnant Simosch fuhr zurück nach Wüstenstein und von dort aus nach Markhausen. In der Polizeidienststelle hatte er eine Arbeitsbesprechung mit seinen Mitarbeitern angesetzt. Ermittlungsergebnisse sollten zusammengetragen, ausgewertet und als Grundlage für die weitere Aufklärung des Mordes an Janina Wöhler genutzt werden.

Von der Kriminaltechnik kam der Hinweis, das Motorrad sei am Tatort vorbeigefahren, ohne anzuhalten. Die Spuren bewiesen es mit Sicherheit. Simosch berichtete von seinem Besuch bei Frau Grammelein.

»Um die Ermittlungen konzentrieren zu können«, sagte er, »möchte ich einige Personen aus den Erkundungen ausklammern. Zum Beispiel Frau Grammelein. Meine Annahme, in ihrem Zustand habe sie mir heute die Wahrheit gesagt, zusammen mit der Feststellung der Kriminaltechnik, dass sie am Tatort nicht vom Motorrad gestiegen ist, rechtfertigen das. Ich glaube auch, dass ihre Tochter als Täterin nicht in Frage kommt …« Er hob abwehrend die Hand, als er Widerspruch spürte. »Sie haben recht, wenn Sie meinen Glauben für unzulänglich halten. Wir werden Beate Grammelein ohnehin nicht aus den Augen verlieren, wenn wir unsere Nachforschungen auf Lukas Weitling beschränken. – Und nun zu Frau Schubert.«

Ihr Motiv war nicht vom Tisch zu wischen. Aber es passte nicht zu ihrer Persönlichkeit, nicht zu ihrer Moralauffassung. Sie hatte angegeben, an jenem Morgen zu Hause gewesen zu sein. Kriminalisten waren den Weg abgegangen, den sie vom Tatort aus nach Markhausen hätte nehmen müssen. Wer an diesem Morgen auf dieser Strecke unterwegs gewesen war, bekam Frau Schuberts Fotografie vorgelegt und die Frage, ob er dieser Frau begegnet sei. Niemand hatte sie gesehen. Man durfte annehmen, sie sprach die Wahrheit.

Auch Hermann Wöhlers verlassene Freundinnen strich man von der Liste der Verdächtigen. Frau Tonicke hielt sich zur Tatzeit in einem FDGB-Heim auf. Für Gudrun Ebel war Wöhler eine Enttäuschung, die sie längst überwunden hatte, ohne nennenswerten Einschnitt in ihr Leben.

»Bei Benjamin Balmer«, sagte der Oberleutnant, »scheint mir der Anlass für einen Mord nicht gegeben. Wie es aussieht, hat zwischen ihm und Hermann Wöhler weder eine tiefe Freundschaft noch eine tiefe Feindschaft bestanden. Sie kannten sich vor Balmers Inhaftierung und gehen sich jetzt aus dem Weg. Außerdem besitzt der junge Mann ein Alibi. Er hat bei seiner Freundin genächtigt. Trotzdem wird er aus den Ermittlungen nicht ausgeklammert. Er interessiert mich im Zusammenhang mit Lukas Weitling, auf den wir ab jetzt unser ganzes Augenmerk richten werden. Übrigens, wie geht es ihm?«

Zwei Tage, erfuhr Simosch, habe der Junge im Krankenhaus gelegen. Jetzt sei er nach Hause entlassen worden. Hermann Wöhler war wegen Mordversuches inhaftiert, stand aber

ebenfalls unter ärztlicher Betreuung. Sein Geisteszustand war Besorgnis erregend.
Einer der Kriminalisten hatte mit Erfolg nach dem mysteriösen Heinz Goldmann gefahndet. Lukas Weitling verbarg sich hinter diesem Namen und war damit als Benjamin Balmers Schuldner entlarvt, der zweimonatlich fünfzig Mark abzahlte. Wofür?
»Lukas Weitling und Benjamin Balmer verbindet ein Geheimnis«, sagte der Oberleutnant. »Es stammt aus jenen Tagen, in denen Balmer Moped- und Motorradteile gestohlen hat. Möglicherweise steht am Rande dieses Geheimnisses Hermann Wöhler, der damals Benjamin im Krankenhaus kennenlernte. Zu jener Zeit, als Balmer zu stehlen begann, baute Wöhler sein Fahrzeug wieder auf und besorgte für Frau Tonicke schwer zu beschaffende Mopedteile, Marke Schwalbe. Aber das sind Vermutungen. Das Geheimnis zwischen Lukas Weitling und Benjamin Balmer dagegen ist jetzt durchschaubar. Bis auf Details, die uns die beiden noch verraten werden.
Erstens: Benjamin konnte zwar nicht nachgewiesen werden, dass er einen Mittäter hatte, aber Organisation, Art der Diebstähle und Veräußerung des Diebesgutes sprechen dafür.
Zweitens: In Benjamins Versteck, wo die gestohlenen Mopeds auseinandergenommen und eine Zeit lang aufbewahrt wurden, fand man eine Kanne Milch. Angeblich hatte Balmer sie gestohlen und in seinen Unterschlupf geschleppt. Doch Benjamin Balmer macht sich nichts aus Milch. Lukas Weitling dagegen trinkt sie gern. Eine leere Milchflasche fand sich auch in seinem Unterschlupf, in dem er gestohlene Trabantteile lagerte. Dass er dasselbe Versteck benutzte wie Balmer vor zwei Jahren, ist bekannt.
Drittens: Lukas Weitling schickt unter einem fingierten Ab-

sender regelmäßig Geldbeträge an Benjamin Balmer, und zwar seit Balmer inhaftiert wurde. Das kann der Erlös von verkauften Mopedteilen sein – an wen verkauft? Vielleicht an Hermann Wöhler? – Oder es ist Schweigegeld.«
»Damit«, sagte einer der Anwesenden, »wäre die Diebstahlsaffäre Balmer rückwirkend und umfassend aufgeklärt. Wir sind eine Mordkommission mit großartigen Erfolgen im falschen Ressort.«
»Man arbeitet sich zu, wo man kann«, erwiderte Simosch lächelnd. »Ich muss Benjamin Balmer zum Reden bringen über diese Verbindungen. Da kann weit mehr herauskommen, als wir bis jetzt wissen. Die beiden sind sich offiziell aus dem Weg gegangen. Weitling ist nach seiner Entlassung aus der Untersuchungshaft beobachtet worden. Mit dem jungen Balmer hat er sich nicht getroffen. Trotzdem könnte er Kenntnis haben von Dingen, die der andere getan hat. Ich erhoffe von Benjamin Balmer einen Hinweis, der uns weiterhilft.«

In Wüstenstein gab es neuen Gesprächsstoff: Wöhlers Verhaftung, seine Tätlichkeit gegen Lukas Weitling, seine Beschuldigung, Weitling habe Janina getötet. Er sei übergeschnappt, glaubten die einen. Wäre wahrscheinlich dem Erstbesten an die Kehle gegangen, der ihm bei seinem Amoklauf über den Weg kam. Zufällig war der Erstbeste Lukas Weitling. Andere meinten, Hermann Wöhler wusste, wen er sich zu greifen hatte. Nur wäre es für alle besser gewesen, er hätte der Polizei Bescheid gesagt, statt Selbstjustiz zu üben. Weshalb aber der Junge Wöhlers Tochter getötet hatte, darüber waren die unsinnigsten Spekulationen im Umlauf.
Im Hause Kuhnert war man unterschiedlicher Meinung über das Geschehen. Frau Kuhnert hielt an der Theorie fest, den

Mord habe kein Einheimischer begangen und Wöhler sei vor Schmerz meschugge geworden. Ihre Tochter Petra neigte zu der Ansicht, Wöhler habe in Bezug auf Lukas etwas herausgefunden. »Und die Polizei?«, fragte Frau Kuhnert den Oberleutnant, der mitten in ihr Gespräch hineinplatzte.
»Die hätte gern von Benjamin Balmer einige Auskünfte«, erwiderte Simosch.
Er war noch nicht zu Hause, obwohl der Bus keine Verspätung gehabt hatte.
»Vielleicht ist er heute auf einen Schwatz in der Schänke«, sagte Petra Kuhnert.
Simosch beschloss zu warten. Es dauerte nicht lange. Benjamin Balmer war unterwegs aufgehalten und nach seiner Meinung zum Fall Wöhler–Weitling befragt worden.
»Und wie ist Ihre Meinung?«, fragte Simosch, als er mit Balmer allein im Zimmer war.
»Ich weiß zu wenig. Ich kann mir überhaupt kein Bild machen.«
»Über Lukas Weitling wissen Sie eine Menge. Und alles, was Sie wissen, werden Sie mir erzählen. Er hat gestanden, an den Diebstählen vor zwei Jahren beteiligt gewesen zu sein. Sie haben ihn aus der Sache herausgehalten, und dafür bezahlt er Sie. – Und nun sind Sie dran.«
Einen Moment lang Nichtbegreifen. »Der Idiot! Wieso frisst denn das Rindvieh das ganze Gras wieder runter, das inzwischen über die Sache gewachsen ist! Hat er nicht genug am Hals?«
»Nun«, erwiderte Simosch ruhig, »Wöhlers Hände hatte er im wahrsten Sinne des Wortes am Hals. Möglicherweise geht der Mord an Janina Wöhler auf sein Konto. Aber den hat er noch nicht gestanden.«

»Woher weiß denn Wöhler, dass er es war?«
»Das ist im Augenblick nicht unser Thema, Herr Balmer. Sie kennen den Jungen seit Jahren. Wie war sein Verhältnis zu Hermann Wöhler?«
»So was Sinnloses«, sagte Benjamin Balmer statt einer Antwort. »Ich nehme alles auf mich, sitze brav die Strafe ab, und die Sache ist erledigt. Da verliert der Junge die Nerven …«
»Ich hatte Sie nach seinem Verhältnis zu Wöhler gefragt. Damals.«
Balmer zuckte die Schultern.
»Lukas hat ihn nie erwähnt.«
»Haben Sie oder hat Lukas gestohlene Mopedteile an Wöhler verkauft?«
»Ich nicht. Wenn's Lukas getan hat, weiß ich nichts davon.«
»Kommen Sie, Beni, reden Sie! Sie wissen mehr, als Sie mir sagen. Sie haben Lukas in Schutz genommen, gut. Da ging's um Diebstahl. Jetzt geht's um Mord. Sie machen sich mitschuldig, wenn Sie etwas verschweigen. Es muss damals schon eine Verbindung zwischen Ihnen, Weitling und Wöhler gegeben haben …«
»Behauptet das Lukas?«
Die hellgrauen Augen wurden schmal.
»Ich möchte es von Ihnen wissen. Wöhler hatte zu dieser Zeit Ersatzteile zur Hand, die es nicht zu kaufen gab. Wenn der Fall wegen Lukas' Mittäterschaft wieder aufgerollt wird, wird man auch nachprüfen, wo die Teile geblieben sind, die Sie angeblich an unbekannte Kundschaft veräußert haben. Das Moped, das Wöhler damals aufbaute, existiert noch. Aber ich habe nicht so lange Zeit! Gab es damals Streit zwischen Lukas und Wöhler? Wegen der Ersatzteile? Oder wusste Wöhler anfangs nicht, dass es Diebesgut war? – Wollte er Lukas

vielleicht anzeigen? Hat er ihm die ganze Zeit über damit gedroht?«

»Weiß ich nicht – kann ich mir nicht vorstellen.«

»Wussten Sie, dass Lukas jetzt wieder Kfz-Teile gestohlen hat?«

»Woher denn? Sie wissen doch, wo ich gewesen bin.«

»Sie sind mit ihm in Verbindung geblieben und sei es nur durch das Geld, das er Ihnen schickte. Bis jetzt hat er fünfhundert Mark abgezahlt für Ihr Schweigen …«

»Das war ausgemacht«, sagte Balmer schnell, »damit sollte die Sache erledigt sein.«

»Und wie hoch wäre Ihr Preis, wenn Sie den Jungen vor einer Mordanklage schützten?«

Es traf ihn nicht. Kein Misstrauen, keine Ablehnung mehr im Blick. Er sah Oberleutnant Simosch ins Gesicht und sagte: »Es tut mir leid, aber ich kann Ihnen nicht helfen.«

Lukas Weitling saß im Sessel und las, als seine Mutter den Oberleutnant ins Zimmer führte. Das Buch sank auf seine Knie. Schöne Blütengehölze, entzifferte Simosch.

»Guten Tag, Hellseher.«

»Vielleicht wäre Schutzengel angebrachter«, entgegnete Simosch.

»Also danke für die Lebensrettung. Und wovor beschützen Sie mich heute?«

»Wie geht es Ihnen?«

»Ich habe die nötige Luft zum Leben. Sie glauben gar nicht, wie gut es einem da geht.«

Sein Hals war gefleckt von Würgemalen. Sie schwiegen ein Weilchen. Lukas Weitling stellte das Buch ins Regal zurück, setzte sich wieder zu Simosch und sagte zögernd: »Bevor ich weggetreten bin, hat Wöhler was Seltsames gesagt: Ich hätte Janina umgebracht, um ihn fertigzumachen. Wie meint er das?«

»Sie haben ihn schon richtig verstanden.«

»Das ist doch absurd!«

»Hermann Wöhler ist ein Mensch, der sich immer hinter etwas oder jemandem versteckt, wenn es Probleme gibt und eine Auseinandersetzung fällig ist. Er hat Janina vorgeschickt, um Frauenbekanntschaften zu beenden, die ihm lästig wurden. Vor Beni Balmer hat er sich verleugnen lassen, sich hinter der Arbeit verschanzt oder sich in die Geborgenheit seines Hauses verkrochen. Gegen Ihre Forderungen, rationeller zu arbeiten, und der Bitte, Ihrer Mutter zu helfen, baute er einen Schutzwall von Verordnungen um sich auf. Sie hat er am schwersten getroffen. Von allen, denen er übel mitgespielt hat, haben Sie ihn am meisten gehasst. Vor der Auseinandersetzung mit Janinas Mörder hat er sich nicht gedrückt.«

»Mit Janinas Mörder ...? Hören Sie, das geht mir zu weit! Sie blicken in die falsche Richtung, Hellseher!«

Frau Weitling trat ein, angekleidet zum Ausgehen.

»Ist alles in Ordnung, Lukas?«

»Ja, Mama.«

Seine Stirn war feucht, und die Augen waren voller Angst, doch er lächelte.

»Dann geh ich jetzt.«

»Pass auf dich auf. Die Wege sind noch glatt.«

»Eben schade, dass Beate nicht mehr mitkommen kann«, sagte sie, nickte einen Gruß und verließ das Zimmer.

»Warum haben Sie Beate Grammelein weggeschickt?«

»Ich dachte, das hätten Sie kapiert, als Sie mich letztens vom Konsum abgeholt haben.« Er äffte das Mädchen nach. »Ich gehe, wenn du es wirklich wünschst, Lukas. Ich bin dir nicht böse. Ich bin dir wegen nichts böse.« Und mit normaler Stimme sprach er weiter: »Sie war mir auch wegen Janina nicht böse. Aber immerzu hat sie mich fühlen lassen, wie sie leidet, und mich beschämt durch ihren guten Willen. Jetzt gehe ich in den Knast wegen der Trabantteile. Sicherlich würde sie auf mich warten – um mich ein Leben lang mit ihrer Großmut zu beglücken.«

»Für mich ist die Frage, geht ihre Hochherzigkeit so weit, dass sie Sie vor einem Mordprozess schützen würde?«

»Wenn's da was zu schützen gäbe, hätte ich sie bestimmt hierbehalten.«

»Oder wären mit ihr so verfahren wie mit Benjamin Balmer: Der eine schweigt, der andere zahlt. Benjamin hat Ihre Mittäterschaft zugegeben.«

Er reagierte ähnlich wie der junge Balmer, fragte verständnislos, wieso der andere jetzt, nachdem alles ausgestanden sei, etwas aussage.

»Er hat es mir nur bestätigt«, erklärte Simosch. »Daraufgekommen bin ich durch die Milchbehälter im Versteck und durch Ihre Geldzahlungen. Haben Sie damals Kfz-Teile an Hermann Wöhler verkauft?«

Einen Augenblick lang sah Weitling ihn irritiert an, dann lachte er. Es war ein unfrohes, grelles und nervöses Lachen. »Teile an Wöhler verkauft!«, wiederholte er lauthals. »Jetzt möchte ich mich doch entschuldigen, Sie jemals für einen Hellseher gehalten zu haben!« Und dann schrie er, aufgebracht wie damals, als er mit dem Knüppel zum Konsum rannte: »Wöhler war der Kopf von unserem Trio! Ohne den wären weder Beni noch ich auf die Idee gekommen, Mopeds zu klauen! Und jetzt habe ich die ganze Scheiße satt! Wieso will man mir an den Kragen? Ich habe Beni bezahlt, weil er mich rausgehalten hat, und Wöhler nicht verpfiffen, weil ich mich da ins eigene Fleisch geschnitten hätte. Aber ich sehe nicht ein, weshalb bloß Beni und ich büßen sollen, und der Drecksack verkriecht sich wieder in sein Nest. Ich weiß auch nicht, warum er mir an die Gurgel gegangen ist, und hab die Übersicht verloren, was hier verdammt noch mal gespielt wird!«

Er war aufgesprungen und lief im Zimmer hin und her. Simosch wartete, bis Lukas Weitling sich wieder in der Gewalt hatte. Wöhler als Kopf und Anstifter des Diebestrios. Das ergab neue Zusammenhänge.

»Bitte«, sagte er, »setzen Sie sich, und konzentrieren Sie sich auf meine Fragen. Es wird sich alles klären.«

Der Junge ließ sich auf einen Stuhl fallen und vergrub den Kopf in den Händen.

»Wann ist Herr Wöhler wegen der Diebstähle an Sie herangetreten?«

»Beni gegenüber hat er's Klagen gekriegt. Damals im Krankenhaus, Frau weggelaufen, Kind allein großziehen. Nichts in der Hinterhand. Beni war verknallt in die Petra und hatte schon ein Baby mit ihr. Eine Zeit lang sah's aus, als wolle sie ihn abschieben, aber dann waren sie wieder zusammen, und Wöhlers Story, die ging dem Beni ans Gemüt. Da rückte Wöhler mit seiner Idee raus. Keine großen, auffälligen Sachen; Mopeds. Vielleicht mal 'n Motorrad, wenn's günstig kommt. Auseinanderbauen, Ersatzteillager anlegen. Herumhorchen, wo was fehlt. Auf Verbindungen anspielen, bisschen zappeln lassen, dann anbieten. Den zweiten Teil der Angelegenheit wollte er selbst übernehmen, weil er in der Fahrbereitschaft arbeitete. Da waren Verbindungen am glaubhaftesten. Beni hatte damals gerade einen Narren dran gefressen, an Motorrädern und Mopeds herumzubasteln. Er sagte zu, wusste aber, er schafft's nicht allein. Irgendwie sind sie auf mich gekommen. Ich war ziemlich unten. Vater gestorben, Mutter krank, ich enttäuscht von Blumenkohl und Chrysanthemen. Wöhler wusste das, sagte damals: Junge, wenn du's nicht aushältst, kommst du zu uns. Beni wusste es auch. Hab mal in der Schänke bei 'nem Bier meinen Kummer lockergequatscht. Bisschen Bargeld auf die Kralle war ein Trostpflaster.«

»Was wurde abgesprochen?«

»Wöhler sagt uns, was gebraucht wird. Wir schaffen ran. Er setzt ab, und der Erlös geht durch drei …«

»Hat er ehrlich geteilt mit Ihnen?«

»Ich denke schon.«

»Weiter.«

»Zeitlich wird die Sache nicht in die Länge gezogen. Wir sanieren uns, machen Schluss. Bleibt alles ruhig und wir brauchen noch was, machen wir wieder 'ne kleine Einlage. Wir haben uns nur einmal zu dritt getroffen, dann lief alles wie am Schnürchen. Bis sie Beni kriegten.«

»Wer hat das Waldversteck ausgekundschaftet?«

Lukas blickte auf.

»Na, wer schon. Ich natürlich.«

»Beni Balmer wurde also erwischt. Hatten Sie so etwas einkalkuliert?«

»Ausgemacht war: Wer erwischt wird, nimmt alles auf sich. Das konnte eigentlich nur Beni oder mir passieren. Wöhler hat ja nur beauftragt und abgesetzt. Wer in'n Knast geht, wird von den anderen finanziell unterstützt. Die Sätze lagen fest. Beni und ich zahlen je fünfhundert. Wöhler, mit dem 's

ziemlich bergauf ging, versprach achthundert zu zahlen. Und einen Arbeitsplatz im Fuhrpark, falls gewünscht.«
»Diesen Platz haben Sie erhalten«, sagte Simosch.
»Beni saß, und wir waren sicher, dass er dichtgehalten hat. Ich war noch in der Lehre, stotterte meinen Beitrag zweimonatlich in Fünfzig-Mark-Raten ab. Dann hatte ich die Schnauze voll von dieser Alpenveilchengärtnerei und bin zu Wöhler. Der war inzwischen Leiter im Fuhrpark.«
»Warum haben Sie die letzte Zahlung an Beni nicht nach Markhausen geschickt?«
»Er wollte es nicht. Seine Alten, sagte er, löchern ihn mit Fragen, wo das Geld herkommt.«
»Und wohin hat Wöhler seinen Beitrag geschickt?«
»Ich dachte, auch zu Balmers nach Markhausen. Der Drecksack! Als Beni aus'm Knast kam, haben wir gleich 'n Bier zusammen getrunken. Da erfahre ich, dass Wöhler keinen Pfennig gezahlt hat! Beni ist hin zu ihm, dachte, er kriegt den ganzen Segen in bar. Übrigens hätte er auch gern im Fuhrpark gearbeitet. Hat sich geschämt, in den alten Betrieb zurückzugehen. Aber die haben sich wohl ziemlich nobel verhalten.«
»Und Wöhler?«, drängte Simosch.
»Der Herr Betriebsleiter vom Fuhrpark hat den Knastbruder einfach nicht empfangen. War beschäftigt. Stelle sei keine frei, ließ er ausrichten. Beni hat's bei ihm zu Hause versucht. Er sei nicht da, hat ihm die Grammelein erzählt. Als er zum dritten Mal hin ist, war Janina an der Tür. Die war ehrlich. Erzählte ihm, der Alte sei sauer auf ihn, und sie soll ihm sagen, er wäre nicht zu Hause. Sie wusste ja nicht, um was es geht, und hat Beni zugeredet, den alten Rappelkopp zu lassen, und gefragt, ob sie ihm helfen kann. Da ist Beni nie mehr hingegangen.«

Der Wagen raste durch Wüstenstein, spritzte Schneematsch bis zum Bürgersteig. Vor der Bärenschänke schleuderte er ein wenig und kam dann zum Stehen. Kopfschüttelnd ging Wachtmeister Albrecht auf Simosch zu.

»Ich hoffe, Sie haben einen Grund für die Fahrweise …«

»Ist der Bus schon durch?«

»Vor fünf Minuten.«

»Haben Sie Benjamin Balmer gesehen?«

»Ist auf 'n Bier in die Schänke. Petra hat noch Dienst.«

»Lassen Sie ihn nicht aus den Augen. In zwanzig Minuten ungefähr komme ich rein. Nehme ich meine Mütze mit der rechten Hand ab, bleiben Sie, wo Sie sind, dann gehe ich in mein Zimmer und krieg's Grübeln, wie ich ein Alibi zerbrechen kann. Kommen Sie mich ein bisschen später besuchen. Wenn ich aber mit der linken Hand zur Mütze greife, verschwinden Sie zum Hinterausgang. Jeder darf raus – nur Benjamin Balmer nicht.«

Oberleutnant Simosch sprang wieder ins Auto. Ohne sich um seine Fahrweise zu kümmern, betrat der ABV das Gasthaus. Simosch ging zu Frau Kuhnert. In der Stube weinte ihr Enkelkind. Frau Kuhnert bat den Oberleutnant ins Haus und beruhigte den Kleinen.

»Ist er wieder gesund?«, fragte Simosch. »Ihre Tochter klagte über seine Erkältung, die ihm viel zu schaffen mache.«

»Ihm und uns«, sagte Frau Kuhnert, »zwei Nächte lang sind wir überhaupt nicht zur Ruhe gekommen, die Petra und ich.«

»Und der Vater? Kümmert er sich auch um den Kleinen?«

»Aber ja! Beni ist ein guter Vater. Bei mir hatte er von Anfang an einen Stein im Brett, weil er unser Häuschen so in Ordnung hält, besser als das mein eigener Sohn getan hat, als er noch hier wohnte.«

»Und nachts steht er auch auf, wenn sein Sohn krank ist?«
»Das lassen wir nicht zu, die Petra und ich. Reicht doch, wenn sich zwei um den kleinen Mann kümmern.«
»Steht das Kinderbett im Schlafzimmer der Eltern?«
Sie wies zur oberen Etage.
»Ja, sie möchten's beide so. Aber wenn er zur Schule kommt, kriegt er den kleinen Raum neben dem Schlafzimmer für sich.«
»In so einem Haus«, sagte Simosch, »ist mehr Platz, als man annimmt. Sie haben ja wohl auch noch ein eigenes Zimmer.«
»Selbstverständlich. Gleich neben dem Eingang, gegenüber der Küche.
»Aber dann müssen Sie ja nachts die Treppe hoch, wenn der Sprössling schreit.«
»Er wacht doch nur auf und weint, wenn er krank ist, so wie vor vierzehn Tagen. Aber er ist ganz selten krank. Dann regeln wir das so, dass Beni hier unten in meinem Zimmer schläft und ich rauf zu Petra ziehe. Da kann ich mich abwechselnd mit ihr um den Jungen kümmern.«
»Kürzlich ist der Vater also wieder nach unten gezogen.«
»Für zwei Nächte. Aber ich habe Sie jetzt genug mit diesem Familienkram belästigt, darf ich Ihnen …«
»Es interessiert mich«, unterbrach Simosch sie. »Haben Sie damals den Arzt holen müssen für Ihren Enkel?«
»Beni hatte Spätschicht. Ist mit dem Mittagsbus los und in Markhausen zum Kinderarzt. Der hat ihm was verschrieben für seinen Sohn und am nächsten Tag einen Hausbesuch gemacht. Aber da war das Fieber schon runter. Nur der Husten, der ist hartnäckig.«
»Das Datum«, drängte Simosch, »ich muss das Datum wissen.«

Sie drückte das Kind an sich, als wolle sie es vor Simosch schützen.
»Aber ich bitte Sie, was soll denn das?« Und bevor Simosch etwas erwidern konnte: »Doktor Blomberg ist ein guter Arzt …«
»Es liegt nichts vor gegen ihn«, erwiderte Simosch schnell, »ich muss nur etwas überprüfen.«
Sie trat zum Wandkalender, nannte ein Datum, versicherte, dass sie sich nicht irre, denn dieser Tag sei voller Aufregungen gewesen. Da hatte der flinke Albrecht im Wald Wöhlers Tochter gefunden.

Simosch betrat die Gaststube und nahm mit der linken Hand die Mütze vom Kopf. Der ABV ließ sich vom Wirt den Toilettenschlüssel geben und verschwand durch die Hintertür. In der Gaststube war nicht viel Betrieb. Wer vom Bus aus auf ein Bier hereinkam, hatte es längst ausgetrunken und war nach Hause gegangen. Die Kellnerin fragte: »Setzen Sie sich in Ihre Ecke, oder möchten Sie was aufs Zimmer?«
»Ist Ihr Freund betrunken?«, fragte Simosch statt einer Antwort.
Balmer saß allein an einem Tisch, Bier und Schnaps vor sich, sein fahles krauses Haar hing ihm wirr in der Stirn, die hellen Augen blickten glasig.
»Noch nicht. Aber er ist dicht dran. Und das seit gestern. Seit Sie mit ihm gesprochen haben.«
Der Vorwurf war nicht zu überhören.
»Was sagt er?«
»Er sagt nichts, er trinkt«, erwiderte sie bitter.
Simosch ging auf Benjamin Balmer zu. Er wollte ihn nicht in der Gaststube festnehmen, sondern bitten, mit ihm zum

Hinterausgang zu kommen. Balmers Blick wurde wachsam. Plötzlich sprang er auf, warf das Bierseidel nach Simosch und lief zur Hintertür. Das Glas zerschepperte auf einem der Tische. Als Simosch den Hof betrat, krümmte sich Balmer unter dem Griff des Wachtmeisters.
»Ich schätze«, sagte Albrecht, »du hast noch deine Zeche zu zahlen.«
Er beschimpfte die Polizisten und wehrte sich, als sie ihm Handschellen anlegten. Sie saßen mit ihm im Wagen, noch ehe die ersten Gäste herauskamen, um zu sehen, was sich da abspiele. Auf der Fahrt nach Markhausen sagte der Wachtmeister: »Du musst doch übergeschnappt sein, Beni. Kaltblütig ein Mädel abzustechen, das dir überhaupt nichts getan hat.«
»Sie war Wöhlers Tochter«, erwiderte Balmer, als erkläre das alles. Er saß teilnahmslos im Wagenfond neben Albrecht. In Markhausen, kurz bevor sie ausstiegen, sagte er leidenschaftslos: »Ich hoffe, er verreckt daran.«
In jener Nacht, als die beiden Frauen seinen fiebernden Sohn gepflegt hatten, war er aus dem Haus geschlichen. Krank vor Hass auf Hermann Wöhler. Verführt von ihm, war er zum Dieb geworden, hatte sich an die Abmachung gehalten und alles auf sich genommen. Schon in der Haftanstalt empfand er Verbitterung, als er merkte, dass Wöhler seinen Teil der Abmachung nicht einhielt. Aber als Wöhler ihn so gering schätzte, dass er ihm nicht einmal selbst gegenübertrat, sondern ihn durch Dritte abweisen ließ, füllte Hass sein ganzes Tun und Denken aus. Simosch erinnerte sich an Petra Kuhnerts Worte: Nichts kränkt ihn so sehr, als wenn ihn jemand links liegenlässt. Wöhler ließ ihn nicht an sich heran. Aber er hatte einen wunden Punkt – seine Tochter.

Im Wald lauerte Balmer ihr auf. Sie hielt es für einen albernen Scherz, als er ihr den Weg vertrat. Bis er sie vom Rad zerrte und in den Wald schleifte. Sie schaffte es, das Messer aus ihrem Beutel zu ziehen, aber er entwand es ihr.
Unbemerkt schlich er in sein Zimmer zurück. Niemand hatte ihn vermisst. Der Junge war gegen Morgen ruhiger geworden, und die Frauen waren eingeschlafen.
»Nein, ich habe keine Reue gespürt«, sagte er. »Nicht, wenn ich an Wöhler dachte.«
»Rache«, sagte Oberleutnant Simosch, »gehört zu den niederen Beweggründen.«
»Und das, was er getan hat?«, fragte Benjamin Balmer erregt. »Jemanden benutzen, wenn's in den Kram passt, und dann in die Ecke stellen wie einen alten Eimer, das ist – nicht menschlich!«
»Wir waren daran, Lukas Weitling festzunehmen. Hätten Sie ihn für Ihre Tat büßen lassen?«
»Seit Wöhler auf ihn los ist, weiß ich nicht mehr ein noch aus. Nein, ich hoffe nicht, dass ich das getan hätte.«
Simosch ließ ihn abführen. Unter der Tür sagte Balmer: »Sie sollen mich vergessen – Petra und der Junge.«
Tage später versuchte Benjamin Balmer, sich umzubringen. Es wurde verhindert.

Petra Kuhnert besorgte sich Arbeit in einem anderen Bezirk und verließ mit dem Kind Wüstenstein. Ihre Mutter verkaufte das Haus und mietete sich bei ihrem Sohn, dem Holzschnitzer, in Krummbach ein.
Noch ein Haus wurde verkauft; das Weitlingsche in Wüstenstein-Süd, Lukas trat seine Haft wegen Diebstahls von Kfz-Teilen an. Die vor zwei Jahren begangene Straftat fiel mit ins

Gewicht. Seine Mutter zog nach Krummbach. In der Poliklinik, wo ihr behandelnder Arzt praktizierte, fand sie eine Teilbeschäftigung als Reinigungskraft.
Frau Grammelein leitete weiterhin unbestechlich und umsichtig die HO-Haushaltwaren in Erlagrün. Ihre Tochter verlobte sich, noch ehe Lukas seine Strafe abgesessen hatte, mit einem Agronomen.
Die Ehe von Horst und Annette Schubert wurde geschieden. Frau Schubert nahm ihren Mädchennamen wieder an und blieb allein. Horst Schubert heiratete wieder.
Lange Zeit wurde der Mordfall Janina Wöhler und das Schicksal all derer, die auf irgendeine Weise in sein Umfeld geraten waren, in der Bärenschänke diskutiert. Und wenn es ungläubig hieß: Wegen versprochener achthundert Mark, deswegen hat er Wöhlers Tochter umgebracht?, entgegnete Wachtmeister Albrecht bedeutungsvoll: »Es genügt eine kleine Flamme, um einen ganzen Wald zu vernichten.«
Im Übrigen hielt er nach wie vor seine Freiluft-Sprechstunde morgens am Bus ab und hatte ein Auge auf alles, was in Ordnung zu halten war.
Oberleutnant Simosch, den es nach einem Urlaub in einer sanften Gebirgslandschaft wie der Wüstensteiner verlangt hatte, wünschte, nie mehr in diese Gegend zu kommen.
Hermann Wöhler aber dämmerte in einer Heilanstalt dahin. Im Fuhrpark der LPG übernahm ein Jüngerer seinen Platz. Doch niemand rührte sein Haus an. Nur die Tiere brachte man zur LPG. Keiner heizte im Winter, lüftete oder befestigte lose Ziegel auf dem Dach. Der Wind drückte ein Fenster ein. Der Teppich wurde feucht, moderte. Am Zaun wucherte die Brombeerhecke. Die Fichten pressten ihre Zweige gegen die Hauswand. Das Nest verfiel.

»Ihre Mutter fuhr schon morgens mit dem Motorrad nach Markhausen. Wann hat sie das Haus verlassen?«

»Keine Ahnung. Ich war bei Weitlings.«

»Fräulein Grammelein, sind Sie ganz sicher, dass Sie an jenem Morgen nicht zu Hause waren? Es ist wichtig. Auch für Ihre Mutter.«

Sie überlegte, sagte dann entschieden: »Ich erinnere mich genau. Es war der Morgen, an dem Lukas schon ganz früh zur Post gelaufen ist, um in Vogelsgrün oder Krummbach für den Nachmittag eine Taxe zu bestellen, die seine Mutter zum Arzt bringt. Frühmorgens hat man meistens Glück.«

»Ab wann hat die Post geöffnet?«

»Man braucht nicht rein. Vor der Post steht ein Fernsprech-Münzautomat. Mal funktioniert er, mal nicht. Heute musste ich ins LPG-Büro.«

»Wie früh ist Ihr Freund aus dem Haus gegangen?«

»Keine Ahnung. Ich bin erst wach geworden, als er gegen sieben zurückkam. Um diese Zeit stehe ich immer auf.«

»Und seine Mutter?«

»Haben wir schlafen lassen. Sie geht nur noch dienstags und freitags in die Verkaufsstelle sauber machen. – Da kommt der Bus.«

Sie suchte nach der Geldbörse.

»Ich erledige das«, sagte Simosch. »Halten Sie mir einen Platz frei.«

Er blickte ihr nach. Sie begreift nicht, was sie mir eben verraten hat.